HALÁSZ ZOLTÁN

A 100 leghíresebb magyar recept

The 100 most famous Hungarian recipes

HALÁSZ ZOLTÁN

A 100 leghíresebb magyar recept

MAGYAR VILÁG KIADÓ

ZOLTÁN HALÁSZ

The 100 most famous Hungarian recipes

Jó étvágyot !!!

Sügi és Guszti

MAGYAR VILÁG KIADÓ

Fordította/Translated by: Ágnes Enyedi
Szakmailag ellenőrizte/Special consultant: Béla Liscsinszky

Fényképezte/Photos: László Csigó, László Kunkovács
A fotózott ételeket elkészítette/Dishes prepared by:
Tamás Lusztig

Borítóterv és tipográfia/Binding and cover by:
István Gergely

Kiadja/Published by: Magyar Világ Kiadó
Felelős kiadó/Publisher: György Halász
Szedte/Composed by: Cicero Llc.
Készítette/Printed by: Dabasi Nyomda
Felelős vezető/Director: Csaba Bálint
ISBN 963 7815 15 5

Bevezetőnek – egy kis "konyhatörténelem"

Introduction – a short history of cooking in Hungary

Brillat-Savarin, a konyhaművészet filozófusa azt írta, hogy egy új fogás felfedezése több boldogságot hoz az emberiségnek, mint egy új csillagé. A magyar konyha még ennél is többet adott a világnak: nemcsak új fogásokat kreált, hanem egy egész ízvilágot teremtett. Olyan főzésmódot, fűszerezést, olyan ételeket hozott létre, amelyek ismertekké, kedveltekké váltak Magyarország határain túl is, a világ sok részében. Azok számára, akik otthonaikban is szeretnék előcsalogatni a fazekakból, lábasokból, serpenyőkből a finom magyar ízeket, a 100 leghíresebb magyar étel receptjét közöljük ebben a könyvben. Bevezetőnek a legnépszerűbb, mondhatni "alapvető" fogásokét – a gulyástól a paprikásig, a halászlétől a túrós csuszáig. Majd a következő fejezetekben sorra vesszük a Kárpát-medence mindazon tájait, ahol magyarosan főznek: a Dunántúlt, az Alföldet, Erdélyt, Bácskát, Bánátot Észak-Magyarországot és a Felvidéket. Mielőtt azonban elindulnánk e gasztronómiai vándorútra, ránduljunk ki gondolatban a magyar konyha múltjába is. Hiszen mindannak, amit főzési-sütési szokásokban, fűszerezésben, ízben-zamatban a magyar konyha korunk emberének nyújt – ezredéves, a messzi múltba visszanyúló előzménye van. Kezdhetjük akár a legrégibb főzőalkalmatossággal, a bográccsal, amelyben a gulyás, a halászlé és sok más ízes magyar étel készül – s amely eredetileg a honfoglalás előtti kor lovas vándornépének hordozható főzőedénye volt. Folytathatnánk a tarhonyával, e kölesszem

Brillat-Savarin wrote that "the discovery of a new dish brings more happiness to mankind than the discovery of a new star". Hungarian gastronomy gave even more to the world: it has created not only new dishes but also a unique world of flavours. It has developed a way of cooking and seasoning and also some dishes which have become well known and popular outside Hungary, too, in various parts of the world. For those who would like to bring forth the lovely Hungarian flavours from their pots and pans in their homes, in this book we publish the 100 most famous Hungarian recipes. We shall start with the most popular, most basic dishes, from goulash soup to paprika dishes, from fisherman's soup to túróscsusza. In the following chapters we shall take in turn the regions of the Carpathian basin where Hungarian cooking is practised: Transdanubia, the Great Plain, Transylvania, Southern Hungary, Northern Hungary and Upper Hungary, now Slovakia. Before setting off on this gastronomical tour, let us go on a trip into the past of Hungarian gastronomy. Everything it offers to us today in its cooking and baking customs, seasoning and flavours has precedents going back to olden times. We could just as well start with our oldest cooking utensil, in which goulash, fisherman's soup and many more Hungarian dishes are made: the bogrács. This cauldron was originally the portable cooking pot of the ancient nomadic Magyars before the time of their settlement in Hungary. We could continue with our

nagyságú száraztésztával, amely a marhapörköltnek és sok más magyaros húsételnek elmaradhatatlan kísérője: ezt is keleti vándorlásaik során ismerték meg a magyarok ősei. Onnan hozták magukkal a Kárpátoktól övezett új hazába az i.sz. 892–896 közt végbement honfoglalás során. A honfoglalásig a magyarok nem fogyasztottak sertéshúst, ezt követően tértek rá a vaddisznóból nemesített sertés húsának fogyasztására – a belőle készült ételek idővel a magyar konyha kedvelt fogásaivá lettek. A villás szarvú szürke szarvasmarhát – amelynek leszármazottai a hortobágyi pusztán élnek még napjainkban – keletről hozták magukkal, csakúgy mint a birkát, amelynek húsából készült sok ételük. A legrégibb magyar eledelek közé tartozó zsendice juhtejből készült: amikor az oltóanyagtól a tej megtúrósodott, zacskóba öntötték s átszűrték. A hal is fontos részét alkotta az étkezésnek: nyárson sütve vagy halleves formájában – amit ebben az időben még halászlének nemigen nevezhetünk, mert nem volt benne sem hagyma, sem paprika. A honfoglalást követő időkből maradt fenn egy bejegyzés a szentgalleni kolostor krónikájában. Amikor i.sz. 924-ben a magyarok betörtek a svájci kolostorba, egy Heribald nevű szerzetes nem menekült el a többivel, hanem visszamaradt és együtt lakomázott a magyarokkal. Később, elbeszélése alapján Ekkehard feljegyezte krónikájában, hogy a magyarok tüzet gyújtottak a kolostor udvarán és nyárson húst sütöttek, hozzá igen sok bort megittak, miközben a lerágott csontokkal dobálóztak. Száz esztendővel később – micsoda változás – az immár keresztény hitre tért Magyarországon, a pannonhalmi monostorban egy máig megőrzött feljegyzés szerint harminchat szakács készítette az étkeket a szerzetesek számára, akik sok halat fogyasztottak, s minden étkezéshez friss gyümölcsöt is kaptak. Italuk bor volt, változatlanul.

A 13. századi mongol invázió – a tatárjárás – oly szörnyű pusztításokat okozott, hogy egy német krónika már ar-

millet-size dry pasta called tarhonya, which often accompanies beef stew and various Hungarian meat dishes. Our ancestors came upon this pasta when on their wanderings in the East and brought it with them all the way to their new homeland, to the Carpathian basin where they settled between 892–896. Until the settlement the old Magyars did not eat pork; it was only after that they started to eat the flesh of pigs domesticated from wild hogs. Pork dishes, with time, became part and parcel of Hungarian cooking. The gray cattle, whose descandants live in the puszta near Hortobágy even today, were also brought from the East; so too were the sheep – this explains why mutton was used for a number of their dishes. One of the oldest Hungarian foods, zsendice, was made from ewe milk: when the milk turned into curd, it was poured into a sack and drained. Fish was also important in the diet; grilled on a spit or as fishsoup – it could hardly have been called fisherman's soup as there was no onion or red paprika in it. From the times following the Hungarian settlement a record survived in the chronicle of the monastery in St Gallen: in 924, when the Magyars broke into the Swiss monastery, a monk called Heribald did not flee with the others but stayed behind and joined the Magyars at their feast. Later, based on his account, Ekkehard noted down in his chronicle that the Magyars made a fire in the courtyard of the monastery, roasted meat on spits and washed it down with great quantities of wine, throwing round the bones they gnawed clean. And what a change took place within a hundred years in a Hungary converted to Christianity: according to a record which has survived in the monastery of Pannonhalma, thirty-six cooks prepared the food for the monks, who ate a lot of fish and had fresh fruit on the table at every meal. Just as a hundred years earlier, what they drank was wine.

The Mongol invasion in the 13th century brought such a tragic devastation to the country that a German chronicle

ról adott hírt: "Hungária megszűnt létezni, három évszázados fennállás után." Ám az ország mégis feltámadt... és a gazdasági élettel, a kultúrával együtt a magyar konyha is létezett megint. IV. Béla király, "a második országalapító", vallon vincelléreket hívott be, akik újratelepítették Tokaj szőleit. Még a tatároktól is visszamaradt valami jó: a magyarok a nehéz időkben állítólag tőlük tanulták el a berbécstokány készítésének titkait.

Mátyás király, a 15. századi nagy és bölcs uralkodó országlása idejében következett be a magyar konyha első nagy virágkora. Az utókor szerencséjére, a Mátyás udvarában történteket a legapróbb részletekig feljegyezte Galeotto Marzio, a vérbő reneszánsz krónikás. Tőle tudjuk, hogy a lakomák során marha- és ürühúsból, sertéshúsból, vadhúsokból készült fogások kerültek Mátyás asztalára, de gyakran fogyasztottak kacsát, fürjet, kappant, fácánt is. A lakomák parádés fogása – akárcsak az itáliai udvarokban – a sült páva volt, amelyet tolldíszével felékesítve szervíroztak. Minden ételt saját levében tálaltak, Galeotto szerint, a libát, kacsát, kappant, fácánt, a marha- és bárányhúst, sertést, vaddisznót, a különféle halakat mindig saját levükben főzték meg, esetleg pácolták. *Aut merguntur aut condiuntur.* (Vagy hosszú vagy rövid lében.)

A magyar konyhát egyébként ez jellemzi ma is: a pecsenyék saját levéből készíti a mártást legszívesebben, a hústól függetlenül, külön készített mártás ritkábban fordul elő.

Aragóniai Beatrix, Mátyás király hitvese, sokban hozzájárult a konyha fejlődéséhez, finomodásához is. Ő vezette be a vöröshagymát és a fokhagymát a magyar konyhába: testvére, Eleonóra, Ferrarából küldte első példányait, amelyeknek Beatrix levele szerint "a király jobban örült, mintha igazgyöngyöket kapott volna".

Az 1526. évi tragikus vereség, a mohácsi vész után a 16–17. században Magyarország középső részei másfél évszázadon keresztül török hódoltságban éltek, a nyugati és

reported that "Hungary has ceased to exist after a 300 year existence". Yet, as the country raised itself and its economy from the dead, Hungarian gastronomy also came back to life. King Béla IV "the second founder of the state" invited Walloon vine-dressers who planted new vineyards in Tokaj. Yet, the Mongols left something behind them: in the hard times the Hungarians apparently learned from them the secrets of making one of our meat dishes, berbécstokány.

The first golden age of Hungarian gastronomy was during the reign of King Matthias Corvinus, the wise 15th century ruler. Fortunately for the succeeding generations, everything that happened in his court was noted down to the minutest details by his full-blooded Renaissance chronicler, Marzio Galeotto. We know from him that at Matthias's feasts beef, mutton, pork and game dishes were served at the table; so too were duck, quail, capon and pheasant. The highlight of feasts, following the custom of Italian courts, was roast peacock served decorated with its own feathers. All the meat dishes were served in their own gravy, according to Galeotto, goose, duck, capon, pheasant, beef, lamb, pork, wild boar and fish was always cooked in its gravy or was perhaps marinaded. Aut merguntur aut condiuntur. This is typical of Hungarian cooking even today: roasts are served with a sauce made from the gravy of the meat; it is quite exceptional to make a separate sauce for it.

Beatrice of Aragon, Matthias's wife, added much to the development and delicacy of Hungarian cooking. She introduced the use of onion and garlic into Hungarian cooking; it was her sister, Eleonora, who sent the first samples of these from Ferrara, and according to Beatrice's letter "the king's joy was much greater than if he had received a present of pearls".

After the tragedy of the defeat at Mohács in 1526, the middle part of Hungary fell under Turkish rule for 150 years, the western and northern region became part of the

11

északi országrész Habsburg uralom alá került, csupán Erdély élvezett viszonylagos függetlenséget. A török megszállta országrészben a falvak sokasága néptelenedett, pusztult el, a lakosság lélekszáma felénél is kevesebbre csökkent, az élet megnehezült azok számára is, akik megmaradtak, ám a magyar konyha valahogyan átvészelte e nehéz időket is – sőt, a törököktől még át is vett néhány fogást. A töltött paprika, a szőlőlevélbe göngyölt "töltike" ebben az időben vonult be a magyar konyhába, de még a lángos, a pogácsa magyar neve is török eredetű. A szerencsésebbek – különösen a szultáni védettséget élvező városokban – bizonyára jól ettek-ittak ebben az időben is, amiről Evlia Cselebi, a híres török világutazó budai beszámolója tanúskodik. Eszerint a magyarok gyakran járnak egymáshoz vendégségbe, s ilyenkor a házigazda dúsan terített asztallal fogadja vendégeit. A kedvenc magyar ételek – így Cselebi – a fehér kenyér, a sült csirke, a csirkepörkölt, a sült ponty és a süllő. Az italok választéka igen nagy, a legjobb bor topázsárga és kristálytiszta – hozzá hasonló csak Tenedosban kapható.

Mind ez ideig nem esett szó a magyar konyha legfontosabb fűszeréről, a paprikáról. Azért hallgattunk róla eddig, mert nem volt ismeretes Magyarországon, a török megszállás előtt. Hosszú, kalandos úton jutott a paprika Magyarországra. A Közép-Amerikából származó fűszert spanyol hajósok hozták át Európába. A hagyomány szerint első magvait Kolumbusz hajóorvosa, Chanca hozta magával a Santa Maria fedélzetén. Spanyolországból itáliai hajósok vitték magukkal keletre – így jutott el a török birodalomba, ahol hamarosan kedvelt fűszerré vált, mivel helyettesítette a drága borsot és az ételeket nemcsak fűszerezte, hanem színesítette is. A törökök a megszállt magyar területeken is termeszteni kezdték, ám a "gyauroknak" tiltva volt megszerezni a fűszer magvait. A magyar parasztok valahogyan mégis hozzájutottak és titokban, halálveszedelmek köze-

12

Habsburg Empire and only Transylvania enjoyed a relatively independent status. Under the Turks dozens of villages were deserted or destroyed, the population dropped by more than 50 per cent and life became difficult even for the survivors, yet Hungarian gastronomy pulled through even these hard times, and indeed, adopted quite a few cooking tricks from the Turks. It was during this time that stuffed pepper and töltike (stuffed vine leaves) became part of Hungarian cooking: even the names of pastry like lángos and pogácsa are of Turkish origin. The lucky ones, especially in towns that enjoyed the sultan's protection must have eaten and drunk well in those times if we are to believe the great Turkish traveller, Evlia Chelebi, and his account of Buda. According to him, the Hungarians often visit each other and on such occasions the host sets before his guest a richly laid table. The favourite Hungarian dishes are, writes Chelebi, white bread, fried chicken stew, roast carp, and fogas, a kind of pike-perch. There is a wide choice of drinks, the best wine is the colour of topaze and crystalline – something like that can only be purchased in Tenedos.

So far no mention has been made of the most important spice in Hungarian cooking, paprika. The reason is that this condiment was simply unknown before the time of the Turkish occupation. It had a long and adventurous journey to Hungary. The plant, which is native to Central America was brought to Europe by Spanish sailors. History records that is was Columbus's ship's doctor Chanca, who brought the first seeds with him on board the Santa Maria. From Spain, Italian sailors took the spice eastward. This is how paprika reached the Turkish Empire, where it quickly became a popular substitute for the expensive black pepper because of its qualities as both a flavouring and colouring additive. The Turks started to grow it in their part of Hungary as well, but it was forbidden for the giaour to handle the seeds. Hungarian peasants, however, somehow got

13

pette, termeszteni kezdték. Hosszú időbe került, amíg használata általánossá vált és elfogadta az "úri" konyha is: a szakácskönyvek először a 19. század elején említik fűszerként a paprikát. Ettől kezdve azonban a paprika valósággal új hazát talált Magyarországon. A szegedi, kalocsai paprikatermelők kitűnő fajtákat hoztak létre nemesítéssel – köztük enyhén csípős, sőt teljesen csípősségmentes fajtákat –, a háziasszonyok és a szakácsok pedig a paprikával való fűszerezés olyan mesterfogásait fedezték fel, amelyektől a magyar konyha számos ételének karakteres, pikáns ízhatásai eredeztethetők.

Mialatt a török-megszállta területeken a parasztság konyhája leginkább az eredeti, ősi ízeket őrző, hagyományos fogásokkal élt, a "királyi Magyarországon" és még inkább Erdélyben, új fogások jelentek meg az étrendben és változtak a főzési szokások is. Míg a főúri, nemesi házakban nemigen fogyasztottak levest, hanem a húst, baromfit saját levében tálalták, fogyasztották, a polgárság felfedezte, hogy a leves külön, az étkezés első fogásaként fogyasztható. Sűrítéshez leginkább kenyeret használtak: a kenyérből maradt a magyar konyha népszerű sűrítő anyaga egészen addig, amíg a rántás lépett helyébe, amely – a lisztes habarás mellett – a legelterjedtebb sűrítő módszere mindmáig. Szívesen sütöttek olajban vagy vajban, de a zsír és a szalonna is használatos volt. Később a disznózsíré lett a főszerep, csak napjainkban kezdi az olaj – főként a napraforgóolaj – sok helyütt kiszorítani. Kedvelt ízesítője a magyar konyhának a tejfel is, amelynek sok fogás köszönheti kellemes pikánsságát napjainkban is. Szemben az édes tejszínnel, amelyet a francia konyha előnyben részesít – a magyar ízlés jobban kedveli a kellemesen savanykás, pikáns tejfelt. A külföldi ínyenc is többnyire egyetért velünk, mihelyst megízlelte a tejfellel meglocsolt jó magyar fogásokat – a bablevestől a bakonyi sertésbordáig és a borjúpaprikásig.

Ennél a pontnál jutunk el a magyar konyha vonzerejé-

14

hold of them and started to grow paprika plants in secret, in mortal danger. It took quite a long time for paprika to be generally used and accepted even in the kitchens of the nobility. It was in the early 19th century that cookery books first mentioned paprika as a condiment. Since then, however, paprika has to all extents and purposes found a new home in Hungary. Farmers in Szeged and Kalocsa have bred excellent varieties, such as the slightly hot and the totally sweet, and housewives and cooks have discovered all those ways of using paprika which give so many Hungarian dishes their unique character and piquant taste.

In the region under Turkish rule peasant cooking mostly tried to make use of the old traditional dishes and still preserved the original flavours. In contrast, Habsburg Hungary and especially Transylvania saw new dishes make their appearance and cooking habits change. In aristocratic and noble homes there was usually no soup on the table, as meat and poultry was served in its own gravy; burgher families discovered that soups could be eaten separately as the first course of the meal. They used bread to thicken the soup; bread remained the popular way of thickening in Hungarian cooking until the roux of flour and lard took its place. (The latter, along with a sour cream and flour mixture is the most widely used way of thickening soups even today.) Although they favoured oil or butter for frying, lard and bacon were also used. Later lard took the primary role and only recently has started to lose position, giving way to oil (usually sunflower oil), in many places. Sour cream is another important ingredient of Hungarian cooking and gives the pleasantly piquant taste to a great many dishes. Unlike the French who prefer to use fresh cream for cooking, the Hungarians prefer the slightly sour, piquant taste of sour cream. The visiting gourmet often sides with the Hungarians once he has tasted some dishes that made liberal use of it, such as bean soup, Bakony pork cutlets or veal paprika.

Here, we have probably arrived at a very important se-

nek egy fontos titkához. Ahhoz a csodálatos képességhez, amelynek révén a magyar háziasszonyok és szakácsok bámulatosan jó érzékkel tudták sok-sok évszázad során mindig más országok főzésmódjának legjobb ízeivel, legkiválóbb fogásaival gazdagítani a magyar étrendet. Mint említettük, átvettek ételeket, fűszert még tatártól, töröktől is – de a történelmi igazság kedvéért tegyük hozzá, hogy a magyar ízlés és szakácstudomány oly sokat változtatott rajtuk, hogy az eredeti nem is hasonlítható finomságban, jó ízben a magyar változathoz. Így lett hétköznapi eledelből gyomornedvet gerjesztő remekké például a töltött káposzta a magyar háziasszonyok kezén, akik a füstölt szalonnával, hagymával, borssal, sóval, tojással gazdagított sertésvagdalékot nemcsak belegyömöszölik a káposztalevelekbe, hanem finom káposztaágyat készítenek számára és az egészet meglocsolják tejfellel. Így vált pompás csemegévé az almával, dióval, mákkal, túrókrémmel töltött rétes vagy a palacsinta is.

A magyar konyha, miközben megőrizte ősi hagyományait, s magába olvasztotta a közeli s távolabbi szomszédoktól érkező hatásokat, az idők folyamán magáévá tette az internacionális főzésmód enyhébb ízhatásait is. A változás legkorábban Erdélyben volt észlelhető. A 16–17. századi erdélyi fejedelmek, miközben angol puritánokkal, holland protestánsokkal leveleztek, Habsburg-ellenes koalíciókhoz kapcsolódtak – francia vagy francia ízlésen nevelkedett szakácsokat alkalmaztak udvarukban. Báthory Zsigmond udvari főszakácsának mindmáig megőrzött, bőrbe kötött és pergamenre jegyzett szakácskönyvében lapozgatva az ember csodálattal észleli, hogy mennyi ötlettel, eredetiséggel, milyen jó ízléssel tudták a magyar szakácsok már a 16–17. század fordulóján a magyar hagyományos ízeket a francia főzésmód kifinomult, enyhe – ugyanakkor bonyolult – ízeivel eggyé ötvözni.

Az erdélyi fejedelmek udvarában kialakult főzésmódot

16

cret of the attraction of Hungarian gastronomy. This is the amazing ability that Hungarian housewives and cooks have been able to combine traditional Hungarian cooking with the flavours and dishes of a number of foreign cuisines over the centuries. As can be seen from the above they have adopted dishes and spices from even the Mongols and the Turks. For the sake of historical accuracy, it should be added that both Hungarian taste and cooking have so changed the dishes that have found a home in Hungary that the originals cannot be compared in taste with their Hungarian versions. In this way a simple every-day dish, stuffed cabbage, has become truly mouth-watering at the hands of Hungarian housewives, who do not simply wrap minced pork with smoked bacon, onions, black pepper, salt and eggs in cabbage leaves, but also bed it on sauerkraut and top it all with sour cream. In the same way strudel and pancakes filled with apple, walnut, pop-pyseed or curd cheese have also become delicacies.

Hungary, while preserving its ancient gastronomic traditions and incorporating influences coming from far and near over the course of time has accepted the milder flavours of international gastronomy, too. This first happened in Transylvania, where the 16th and 17th century princes, while maintaining connections with English Puritans and Dutch Protestants and joining anti-Habsburg coalitions, employed cooks in their courts who were either French or had learnt their trade in France. Inspecting the well preserved, leather-bound parchment recipebook written by the chef of Sigmund Báthory's court, one can only respect the ingenuity, originality and good taste of Hungarian cooks at the turn of the 16th and 17th century, and admire the way they were able to combine the traditional flavours with milder and more complex, refined flavours of French cooking. This new cuisine in the courts of the Transylvanian princes, was adopted by noble families and later by the middle

átvették a nemesi családok, majd a polgárság is. Az idők folyamán túlterjedt hatása Erdély határain, érezhetővé vált az országban igen sokfelé. Erre a hagyományra építhetett a 19. században Marchal József, a francia szakácsmester, akinek magyarországi szerepléséhez fűzi a közfelfogás a modern magyar szakácsművészet kibontakozásának kezdetét. Marchal – eredetileg Joseph Marchal – III. Napóleon császár udvari szakácsa volt. A pesti Nemzeti Kaszinó csábító ajánlatának engedve, az 1860-as évek derekán búcsút mondott Franciaországnak és Magyarországra költözött. Így egy térítő buzgalmával látott neki, hogy a magyarokat meghódítsa a francia konyhának. Sikerrel, mivel – a kortársak egybehangzó tanúsága szerint – nagyszerű szakács volt, főztjéről a legnagyobb elragadtatás hangján számoltak be a Nemzeti Kaszinó főúri vendégei. Ám, amint az évek teltek-múltak s Marchal családot alapított, nevét is magyarosan írta már – érdekes változás ment végbe az egykori császári szakács konyhaművészetében. Megtartotta a francia konyha értékeit: gazdag receptúráját, bonyolult, finom ízhatásait, azonban egyre inkább egybeolvasztotta a magyar konyha sajátos főzésmódjával, jellegzetes ízeivel. A francia ételekben merészen és kiváló eredménnyel használta a magyar konyha anyagait, fűszereit, viszont a magyaros ételeket oly módon komponálta át, hogy megszelídültek és enyhébb ízeikkel meghódították a legigényesebb külföldi gourmand-okat is. Marchal magyar szakácsok nemzedékeit nevelte fel a későbbi évek során, köztük Dobos C. Józsefet, akinek nevét a híres dobostorta őrzi. Tanítványa volt Escoffier későbbi munkatársa, Görög Rezső is, akinek ösztönzésére tűzte a francia szakácsművészet "pápája" 1879-ben első ízben étlapjára a "poulet au paprika"-t, vagyis a csirkepaprikást és a "gulyás hongroise"-t, a magyar gulyást, amihez Szegedről hozatott pirospaprikát.

Ettől fogva egyenes vonalban vezet a magyar szakácsművészet története egészen napjainkig. Marchal munkáját a

classes as well. In the course of time, its influence spread from Transylvania and could be discovered in the various regions of Hungary. It was on this way of cooking that Joseph Marchal, the great French chef de cuisine, could found his art in the 19th century. The general view is that his name is a landmark in Hungarian cooking and with him started the development of modern Hungarian gastronomy. Marchal was originally the chef of Napoleon III, but tempted by an offer from the Nemzeti Kaszinó of Pest, he left France for Hungary in the mid 1860s. He started to convert the Hungarians to French cooking with the zeal of a missionary — and also with great success. His contemporaries were unanimous in saying that he was a great cook and the aristocratic guests of the Nemzeti Kaszinó spoke of his dishes with the greatest enthusiasm imaginable. As the years went by Marchal started a family and wrote his name in the Hungarian way: Marchal József. An interesting change took place in the cooking of the ex-imperial chef. He kept the values of French gastronomy: the varied recipes, the complex, refined flavours, but gradually combined all these with the culinary traditions and flavours peculiar to Hungary. He bravely used Hungarian ingredients and spices for French dishes — with great success — and, at the same time, he transformed Hungarian dishes in such a way that their milder flavours conquered even the most demanding of foreign gourmets. Marchal trained generations of Hungarian cooks over the years, one of them being József C. Dobos, who gave his name to the famous pastry, dobostorta. Another of his students, Rezső Görög, later worked with Escoffier, and it was on Görög's suggestion that "the pope of French gastronomy" included Hungarian dishes in a menu for the first time in 1879, "poulet au paprika" (chicken paprika), and gulyás hongroise, for which he had paprika delivered from Szeged.

From this point the history of Hungarian cuisine stretches

Gundel-dinasztia alapítója, Gundel János folytatta, akinek étterme az író- és művészvilág találkozóhelye lett. Egyik törzsvendége Mikszáth Kálmán, a kor nagy írója volt. Kedvéért kreálta a máig népszerű – ürühúsból, zöldségfélékből komponált levest, amelyet a "nagy palóc" néven emlegetett író tiszteletére "palóc levesnek" nevezett el. Gundel János öt fia közül az egyik – Károly – a magyar vendéglátás és konyha mindmáig felülmúlhatatlan mestere volt. A budapesti Városligetben lévő Gundel-étterem és a Gellért Szálloda Gundel-éttermének konyhájában olyan fogások születtek, mint a libamájjal töltött borjúborda, vagy a Gundel-palacsinta.

Mindezekről már nem múlt, hanem jelen időben kell szólni, hiszen a magyar konyha jelenéhez tartoznak sok más ételkreációval együtt, ami szakácsaink és háziasszonyaink egymást követő nemzedékeinek munkájából, ötletességéből született... A Nemzeti Színház hajdani nagy Shakespeare-színészének, Ujházy Edének nevét őrző tyúkhúslevestől a Krúdy Gyula, a nagy elbeszélő emlékét idéző zaftos marhahúsig, vagy a Csekonics-salátáig, amelyet Csekonics Ede gróf elképzelése alapján Mózer István, a Margit híd melletti Tarján étterem séfje kreált hajdanán. Ezekről és sok más jó magyar ételről – szó esik ebben a könyvben. De, mint az angol mondás javallja, "kezdjük a kezdetén": a magyar konyha legnépszerűbb, "alapvető" fogásaival. Majd járjuk be a Kárpát-medence tájait – amihez jó főzést és jó étvágyat kívánunk az Olvasónak.

stretches in a straight, unbroken line right up to our days. Marchal's role was taken over by the founder of the Gundel dynasty, János Gundel, whose restaurant was the meeting place for literateurs and artists. One of his regulars, Kálmán Mikszáth, was a distinguished writer of the time, who was often referred to as "the great man of Palóc". In his honour, Gundel created a soup of mutton and vegetables and called it Palóc soup. One of János Gundel's five sons, Károly Gundel was the greatest ever master of Hungarian gastronomy. In the kitchens of his two restaurants in Budapest, the Gundel in Városliget (City Park) and the Gundel restaurant in the Gellért Hotel, he produced new dishes such as veal cutlets stuffed with goose liver (foie gras), and Gundel pancake.

Indeed we should be speaking of all these in the Present Tense, as these dishes are part of the present in Hungarian cuisine. There are, of course, a number of others, which are all the result of the work and ingenuitity of succeeding generations of Hungarian cooks and housewives – the Újházi fowl soup, which got its name from Ede Újházi, the late Shakespearean actor of the National Theatre; the juicy beef dish guarding the memory of Gyula Krúdy, the novelist; or the Csekonics salad, which was first prepared by István Mózer, the chef of the Tarján restaurant, inspired by an idea of count Ede Csekonics'.

All of these dishes will be mentioned in this book along with many more good Hungarian dishes. But, as the saying goes, let us begin at the beginning, with the most popular and basic Hungarian dishes. After that, we shall wander through the various regions of the Carpathian basin. So good luck in cooking and bon appétit!

A magyar konyha
legnépszerűbb fogásai

(A receptek 4 személyre szólnak általában. Eltérő esetekben a "Hozzávalók" mellett közöljük, hogy a recept hány személyre szól.)

LEVESEK

Gulyásleves

Hozzávalók: *500 g marhahús, 100 g zsír, 200 g hagyma, 1 gerezd fokhagyma, 2 teáskanál édesnemes paprika, 2 g kömény, 600 g burgonya, 150 g zöldpaprika, 150 g paradicsom, só.*

Alaposan megmossuk a húst, kis kockákra felvágjuk. A finomra vágott hagymát a zsíron megpirítjuk, átpirítjuk benne a húst, paprikával meghintjük, hozzáadjuk a fokhagymát, a köménymagot, ízlés szerint a sót.

Keverjük össze, öntsünk rá egy kevés vizet, és gyakran kevergetve, fedő alatt pároljuk. Szükség esetén időnként egy kis vizet is adjunk hozzá. Mikor a hús már jól megpuhult, hozzátesszük a csíkokra vágott zöldpaprikát, a negyedekre vágott paradicsomot és a meghámozott, kockákra vágott burgonyát. Ezután felöntjük annyi vízzel, hogy jól ellepje, 4 tányérnyi adagot adjon, és készre főzzük. Betétnek csipetkét teszünk bele. Ezt úgy készítjük, hogy tojásból és lisztből, víz hozzáadása nélkül kemény tésztát gyúrunk, késfok vastagságra nyújtjuk, kézzel a lehető legkisebbre szaggatva fűzzük bele a fővő gulyáslevesbe.

Burgonyaleves

Hozzávalók: *500 g burgonya, 20 g marhacsontból főzött csontlé, 150 g vöröshagyma, petrezselyemzöldje és*

The Most Popular Hungarian Dishes

(Unless indicated otherwise, all recipes are to serve four)

SOUPS

Goulash Soup

500 gm/1 lb 2 oz Beef (rump or chuck), 100 gm/2 tablespoons lard, 200 gm/2 large onions, finely chopped, 1 clove garlic, chopped, 2 teaspoons sweet paprika, 2 teaspoons carraway seeds, 600 gm/1 1/3 lbs potatoes, peeled and cubed, 1 yellow pepper, chopped, 1 large tomato, quartered (skinned and seeded, if you wish)

Clean and cut the meat into 2 1/2 cm/inch cubes, sautée the finely chopped onions in the lard, add meat and brown it on all sides. Remove from heat and sprinkle with sweet paprika; add the garlic and salt to taste and return to heat.

Mix well together, add a little water. Cover and simmer, stirring frequently and adding water from time to time if necessary. When the meat is tender, add chopped yellow pepper, the quartered tomato and the potatoes. Add enough water for four servings and simmer until potatoes are cooked. Gulyásleves is usually served with csipetke (nipped paste), which is cooked in the soup. You prepare csipetke by making a paste of flour and egg; this is rolled out very thin, small pinches broken off and added to the soup minutes before the potatoes are ready. When the csipetke rises it is ready.

Potato Soup

50 gr/1 lb 2 oz potatoes, peeled and cubed, Stock prepared from 200 g/1/2 lb of beef bones, 150 gr/1 large

zellerzöldje, 1 evőkanál zsiradék, 1 evőkanál liszt, 150 g tejfel, 1 teáskanál pirospaprika, só.

A megtisztított és kockákra vágott burgonyát a csontlébe tesszük és megfőzzük. A zsiradékból a liszttel paprikás, vöröshagymás rántást készítünk, besűrítjük vele a levest. Betétnek csipetkét adhatunk bele. Tejfellel besűrítve tálaljuk.

Bableves

Hozzávalók: *250 g bab, 1 füstölt sertéscsülök, 50 g vöröshagyma, 1 petrezselyemgyökér, 1 sárgarépa, 30 g zsiradék, 1 evőkanál liszt, 1 teáskanál édesnemes paprika, só, szemes bors, ecet (ízlés szerint), 100 g tejfel, 50 g zellergumó, 2 gerezd fokhagyma, 1 db babérlevél.*

A babot előző este beáztatjuk. Másnap friss vízben feltesszük főni a csülköt. Amikor az félig megpuhult, hozzátesszük a babot és a feldarabolt zöldséget. Mikor kellőképpen megfőtt, tehát a hús már könnyen leválik a csontról, a levesből kivesszük a csülköt, leszedjük a húst a csontról és kockákra vágjuk.

A zsiradékból liszttel és az apróra vágott hagymával, fokhagymával rántást készítünk, meghintjük pirospaprikával, majd felengedjük egy kis vízzel és hozzáadjuk a leveshez. Ezután a felvágott húsdarabokat is visszatesszük, megízleljük, hogy elég sós-e a benne főtt csülöktől, ha nem, ízlés szerint sózzuk, majd átforraljuk. Kevés ecettel ízesíthetjük, majd hozzáadjuk a tejfelt és melegen tálaljuk. Betétnek csipetkét főzhetünk belé.

Lencseleves füstölt oldalassal

Hozzávalók: *400 g füstölt oldalas, 250 g lencse, 30 g liszt, 300 g tejfel, babérlevél, só, törött bors, ecet ízlés szerint, 1 gerezd fokhagyma.*

24

onion, finely chopped, Parsley and celeriac leaves, 1 ta-
blespoon lard, 1 tablespoon flour, 150 gr/5 oz sour
cream, 1 teaspoon sweet red paprika, salt

Cook the potatoes in the stock. Soften the onions in the
lard and then mix in the flour to make a roux. Add the
paprika. Thicken the soup with this. This soup is also very
often served with csipetke. (See goulash soup.) Thicken
with sour cream before serving.

Bean Soup

250 gr/1/2 lb beans, 1 smoked knuckle of pork, 50 gm/1
small Spanish onion, chopped, 1 parsnip, chopped, 1
carrot, chopped, 1 tablespoon lard, 1 tablespoon flour, 1
teaspoon sweet red paprika, salt, whole black peppers,
vinegar, 10 cl/1/2 cup sour cream, 50 gm/2 oz celeriac,
2 cloves garlic, crushed

Soak beans overnight. Cook knuckle of pork in water;
when half tender, add the drained beans and all the veg-
etables, except the onion and some black pepper. When
the meat is tender enough, remove knuckle from liquid,
take meat off the bone and dice it.

In a seperate pan, make a roux with the lard, the flour,
the chopped onion and the garlic; dash with red paprika,
add a little water, stirring continuously. Stir this thickening
into the soup. Put the diced meat back in, taste for salt,
adding some more if necessary. Bring the soup back to the
simmer, flavour with a little vinegar, stir in the sour cream
and serve hot. Csipetke (see under goulash soup) may also
be added for the last ten minutes of cooking time.

Lentil Soup with smoked pork ribs

400 gm/1 lb smoked spare ribs of pork, meat taken off
the bone, 250 gm/1/2 lb lentils, 30 gm/l tablespoon

A lencsét a leves elkészítése előtti estén beáztatjuk langyos vízben. A füstölt oldalast felvágjuk kis darabokra és egy másik edényben ugyanakkor úgyszintén beáztatjuk. Elkészítéskor előbb az oldalast tesszük fel főni annyi vízben, ami ellepi, félig megfőzzük, ekkor beletesszük a fazékba a lencsét, hozzáadjuk a fokhagymát és a babérlevelet is. Hagyjuk főni, amíg egész jól átpuhul.

Eközben a tejfelben alaposan elkeverjük a lisztet, hozzáadjuk a fővő leveshez és hagyjuk kb. negyedóra hosszat együtt forrni. Mikor megfőtt, kivesszük a levesből a babérlevelet és a fokhagymát. Szükség szerint utánasózzuk-borsozzuk, az ecettel tetszés szerint kissé savanyítjuk.

Húsleves

Hozzávalók: *800 g marhahús, 200 g marhacsont, 3-3 szál sárgarépa és petrezselyemgyökér, 1-1 zellergumó, karalábé, paradicsom, 2 fej vöröshagyma, 2 zöldpaprika, 1 cikk kelkáposzta, 6-8 szem egész bors, teáskanálnyi köménymag, só.*

A húst megmossuk, feldaraboljuk és az ugyancsak alaposan megmosott csonttal együtt hideg vízben feltesszük főni. Kb. 1 órai, mérsékelt lángon történő főzés után hozzáadjuk a feldarabolt zöldséget, a borsot, köménymagot, ízlés szerint utána sózzuk. Ezt követően mérsékelt lángon, fedő alatt tovább főzzük, még kb. egy-másfél óra hosszat. A lassú főzés a jó húsleves készítésének egyik fontos feltétele!

Mikor a leves megfőtt, a főzés vége felé beleszaggatjuk a daragaluskát. Egy tojás fehérjéből felvert habhoz könnyedén hozzáadjuk a sárgáját, majd hozzákeverünk annyi búzadarát, amennyit felvesz. Ezt a tésztát kanállal a lassan fővő levesbe szaggatjuk. A galuskának a felületre bukkanás után további 4-5 perc fővésre van szüksége, hogy belseje is

26

*flour, 300 gm/1 1/2 cups sour cream, 1 bay leaf, salt,
ground black pepper, vinegar, 1 clove garlic, hulled and
peeled, 1 teaspoon mustard*

Soak the lentils ovenight in water which is luke-warm
when you put them in. The spare ribs should be cut into
serving-sized pieces and soaked overnight in a separate
dish. Cook the drained ribs in just enough water to cover
them over medium-low heat. When the meat is half-cooked,
add the lentils, the garlic and the bayleaf. Cook slowly until
the lentils are ready. (Add more water if necessary.)

In the meanwhile, beat the flour into the sour cream, stir
in the mustard. Stir this mixture bit by bit into the soup — it
helps if you add some of the liquid to the mixture be-
forehand. Bring to boil and simmer slowly for 15 minutes.
Once the lentils are cooked, remove bayleaf and garlic from
the soup. Taste for salt and pepper. If a sharper taste is
required, add a dash or two vinegar.

Bouillon

*800 gm/ 1 3/4 lb best shin or brisket, diced into 1 inch
cubes, 200 gm/1/2 lb marrow bone, 3 carrots, quartered
lengthwise, 3 parsnips, quartered lengthwise, 1 celeriac
root, halved, 1 large tomato, 2 medium Spanish onions,
2 sweet green peppers, 1/8 of a Savoy cabbage, sliced
through in section, 6 to 8 whole black peppers, 1
teaspoon carraway seeds, salt*

Thorougly wash the diced meat and the marrow bones.
Place in cold water and bring slowly to boil on top of the
stove. Simmer gently for an hour. Add the vegetables, pep-
per, carraway seeds and salt to taste. Cook for a further one
to one and a half hours over a low heat. The secret of
making good meat soup is in the slow cooking.

jól átfőjjön, könnyű legyen. Frissen tálalva habosan könynyű, ha áll, könnyen szétesik.

Az ételt két részletben tálaljuk. Először a levest a benne főtt daragaluskával, majd második fogásként a húst a vele főtt zöldséggel, körítve. Főtt burgonyát, ecetes tormát adhatunk melléje. Tálalás előtt a főtt húst egy kevés levessel meglocsoljuk.

Újházi tyúkleves

Hozzávalók (10 személyre): *1 levestyúk, 1 csomó vegyes zöldség, 250 g gomba, 1 fej vöröshagyma, 100 g kelvirág, 500 g tisztított zöldborsó, só, egész bors, 1 zöldpaprika, 1 db tojásból gyúrt leveles tészta.*

A tyúkot megtisztítjuk, feldaraboljuk, kb. 2 1/2 liter hideg vízben félpuhára főzzük. Ekkor hozzáadjuk a megtisztított, feldarabolt zöldséget, sót, pár szem borsot, az egészben hagyott vöröshagymát (amelyet a végén eltávolítunk a levesből), lassan tovább főzzük. Mikor a zöldség félig megpuhult már, hozzáadjuk a megmosott, szeletekre vágott gombát, a zöldborsót, a csíkokra vágott zöldpaprikát. Mikor a leves megfőtt, levéből levesszünk 2 csészényi zsírtalanított adagot, forrni tesszük és kifőzzük benne a hajszálvékonyra nyújtott és ugyanúgy szeletelt finom metélt tésztát. A kelvirágot egészben hagyva, külön edényben főzzük puhára. A kész levest nagy, mély tálban tálaljuk. A leveshez adjuk a főtt metéltet, hozzáadjuk a kelvirág rózsákat.

28

Just before the soup is ready prepare some daragaluska and cut pieces from it with a soup spoon and add to the soup. To prepare daragaluska: beat the white of an egg, fold in the yolk and add as much semolina as it will take. With a spoon break pieces off and add to the soup. When the dumplings rise to the top, cook for a further five minutes so that their interior is cooked and they are light. Serve immediately as the dumplings will disintegrate if allowed to stand. Serve the soup liquid with the dumplings first; as a second course serve the meat with the vegetables, garnished with boiled potatoes and a horse-radish relish. Keep the meat moist before serving by pouring a little of the soup over it.

Újházi chicken Soup

1 large broiler (about 2 kg/4 lb), 1 large carrot, quartered lengthwise, 250 gm/10 oz mushrooms, cleaned and sliced, 1 large parsnip,, 1 head of celeriac, halved, 1 kohlrabi, halved, 100 gm/4 oz cauliflower, 500 gm/1 lb green peas, 1 yellow pepper, cut into strips, salt, whole black pepper, noodles made with one egg/or substitute vermicelli.

Wash, dry and joint the hen into serving portions. Place into 2 1/2 litres (4 1/2 pints) of cold water; bring slowly to the boil; simmer gently, skimming the scum as it rises. When the meat is half tender, add the cleaned and diced vegetables, good pinch of salt, five or so peppercorns, the peeled onion (which is to be removed at the end of cooking). Bring back to simmer and cook over gentle heat. When the vegetables are half cooked, add the mushrooms, the green peas and the yellow pepper. When these vegetables are cooked *al dente*, skim the soup again. Remove from heat, and use 2 cups of the liquid to cook the vermicelli in. The cauliflower is cooked separately, and added along with the vermicelli to the gently reheated soup in the tureen it is to be served in.

HALÉTELEK

Dunai halászlé

Hozzávalók: *1-1 személyre számítva 250 g hal (ponty, esetleg harcsa, részben apróhal). Négy személyre 200 g vöröshagyma, só és paprika. (Vagy édesnemes paprikát használjunk hozzá, amely enyhén csípős ízű, vagy félédes paprikát, amely az előbbinél valamivel csípősebb. A halászléhez ne használjunk csípősségmentes paprikafajtákat, mert az enyhe csípősség adja meg az igazi ízét!)*

A halakat megtisztítjuk, szeletekre felvágjuk. A hagymát apróra vágjuk. A lábosba olyan módon rakjuk be rétegesen, a hal- és a hagymadarabokat, hogy a fej- és farokdarabok alulra, a legszebb halszeletek pedig felülre kerüljenek.

Annyi vízzel öntjük fel, hogy ellepje. Sózzuk, feltesszük főni. A pirospaprika felét forráskor tesszük a halászlébe, másik felét akkor, amikor már majdnem teljesen megfőtt. A tejet, ikrát a főzés vége felé tesszük hozzá, mert annak kevesebb főzés elég. A dunai halászlé szokott kísérője a főtt metélt tésztá. Legalább négy tojásból gyúrt, nem túlságosan vékony, lehetőleg kocka alakú száraztésztát főzzünk ki külön, sós vízben. Nem kell forró zsiradékban meghempergetni, csak úgy "meztelenül" adjuk a halászléhez.

Tiszai halászlé

Hozzávalók: *ugyanazok, mint a dunai halászlénél.*

Miután a halakat megtisztítottuk, a kis halakat, továbbá a nagyobb halak fejét, farkát az apróra vágott hagymával külön megfőzzük. Levüket leszűrjük, a főtt hagymát átpasszí-

FISH DISHES

Danube Fisherman's soup

1 kg/2 1/4 lb fish: carp, catfish or other coarse fish, the essence being that more than one kind of fish is used, 200 gm/7 oz Spanish onions, finely chopped, salt, paprika, either édesnemes which is slightly hot, or félédes which is a bit hotter. Do not use paprika which is not hot, since the basic aroma and taste come from piquancy of the paprika.

Scale, wash and slice the fish into fillets. Layer the fish and onion in a large flat pan so that the head and tail portions are at the bottom, then a layer of onions and so on. The best portions of the fish should be at the top.

Add just enough water to cover. Salt and bring to the simmer. Half of the paprika is added when the soup comes to the boil, the remainder when it is almost ready. The milk and roe of the fish are added just before the end as they require a much shorter cooking time.

The traditional accompaniment to the Danube Fisherman's soup is noodles. These are made from a minimum of four eggs, rolled out not too thinly and often cut into squares. This pasta is cooked separately in salted water.

Tisza Fisherman's soup

Ingredients as for Danube Fisherman's Soup above

After cleaning and scaling the fish, cook the smaller fish with the head and tails of the larger fish separately with the chopped onion in water. Drain and reserve the liquid. Pass the cooked onion through a sieve, flavour with pap-

rozzuk és paprikával, sóval ízesítve a lébe tesszük. Az ily módon elkészített lébe beletesszük az előzőleg felvágott halszeleteket és addig főzzük, amíg jól átpuhulnak. Ekkor hozzáadjuk a tejet és az ikrát, ízlés szerint utánapaprikázzuk, sózzuk és készre főzzük.

A tiszai halászléhez nem szoktak főtt tésztát adni. Egymagában kell fogyasztani, hogy jól érvényesüljön a halak íze-zamata. Utána viszont nagyon jól esik a túrós csusza tepertővel (62. oldalon).

Paprikás ponty

Hozzávalók: *kb. 1 kg súlyú ponty, 50 g zsiradék, 50 g vöröshagyma, 15 g édesnemes paprika, só, 200 g tejfel.*

Lábasban sós vizet forralunk. A megtisztított halat beletesszük a forró vízbe, hagyjuk egyszer felforrni, majd a vízből kivesszük, a hal bőrét lehúzzuk, s a halat tűzálló tálba tesszük.

A hagymát megtisztítjuk, apróra vágjuk, a felforrósított zsiradékban megpirítjuk. A hagymás zsírt a tűzálló tálban lévő halra öntjük.

A halat meghintjük paprikával, megöntözzük tejfellel. Ezután a forró sütőbe tesszük és jól átsütjük. Melegen tálaljuk.

Kísérőnek galuskát vagy párolt rizst adhatunk melléje.

Sült fogas

Hozzávalók: *kb. 1 kg súlyú hal, 25 g édesnemes paprika, 50 g liszt, olaj a sütéshez.*

A halat megtisztítjuk, majd sűrűn bevagdossuk és megsózzuk. A lisztbe paprikát keverünk, hogy szép piros legyen. Ezután a halat a paprikás lisztben jól meghempergetjük.

30. oldal
p. 31

Dunai halászlé
Danube Fisherman's
soup

36. oldal
p. 37

Töltött káposzta
Stuffed Cabbage

56. oldal
p. 57

**Sertésborda
"betyárosan"**

**Pork cutlets outlaw
style**

66. oldal
p. 67

Rétes
Strudel

rika and salt and then add to the reserved liquid. The slices of the larger fish are then placed into this fumet you have just made and then poached until they are tender. At this point add the milk and roe, correct the seasoning for salt and paprika, and cook until ready. Tisza Fisherman's soup is not usually accompanied by a pasta: it is eaten on its own to allow the taste and aroma of the fish to prevail. However it is usually followed by túróscsusza (see p. 63.), which is a perfect combination.

Carp With Paprika

A whole carp of approx. 1 kg/2 1/4 lb., 50 gm/2 oz lard, 1 medium Spanish onion, chopped, 1 teaspoon édesnemes paprika, salt, 200 gm/7 oz sour cream

Put the cleaned fish into boiling salted water. Once it is cooked, remove and skin it. Place it in an oven-proof dish. Sautée the onion in the lard. Pour the lard over the fish. Sprinkle the paprika over this and then pour over the sour cream. Put the dish into a pre-heated oven and bake until well done. Serve on hot plates, accompanied with galuska or steamed rice.

Fried Pike-Perch

1 pike-perch, about 1 kg/2 1/4 lb, 1 tablespoon édesnemes paprika, 50 gm 7 tablespoons flour, oil

Mix the flour and paprika together until they take a fine red colour. Make several diagonal incisions into the cleaned fish and salt it well. Roll the fish in the flour-paprika mix. Heat the oil in a round pan which must be of a size that the fish has to be curled into it. When the oil is

Olajat forrósítunk olyan kerek edényben, amelybe a hal félkörívbe hajtva belefér. Mikor a zsiradék már forró, a halat úgy tesszük bele, hogy a lábas vonalát követve, félkörívben meghajoljon. Hagyjuk, hogy az egyik oldala jól átsüljön, akkor megfordítjuk, oly módon, hogy a görbülete változatlanul megmaradjon. Mikor teljesen kisült mindkét oldalán, kivesszük az olajból és a tálra helyezzük. A sütés folyamán a hal úgy görbült meg, hogy amikor a tálban hasára helyezzük, elöl-hátul felfelé fog görbülni, ahogyan a fogast hagyományosan tálalni szokták.

Harcsa káposztával

Hozzávalók: *1 kg súlyú harcsa, 1 kg savanyú káposzta, 50 g liszt, 50 g zsiradék, 200 g tejfel, só, paprika.*

A harcsát megtisztítjuk, feldaraboljuk. A káposztát feltesszük vízben főni. Közben paprikás rántást készítünk és amikor a káposzta félig megfőtt, a rántással besűrítjük úgy, hogy a leve elég vékony maradjon. Tovább főzzük a káposztát, s amikor már félig megpuhult, hozzátesszük a halat. Mérsékelt lángon tovább főzzük, közben ízlés szerint utánasózzuk. Amikor a hús is, a káposzta is jól átfőtt már, tejfellel behabarjuk, egyet hagyjuk még forrni, majd melegen tálaljuk.

hot, place the fish into it. When the first side has cooked turn the fish being careful to ensure that it retains its crescent shape. When both sides are cooked, remove and set on a warm serving dish. The tail and the head should form the two ends of the crescent and the fleshy side the inner arc.

Catfish with Cabbage

A catfish of about 1 kg/2 1/4 lb, 1 kg/2 1/4 lb of sauerkraut, 50 gm/2 tablespoons flour, 50 gm/2 oz lard, 200 gm/7 oz sour cream, salt, paprika

The fish is cleaned and cut into strips and set aside. Put the sauerkraut into cold water and bring to a simmer. Meanwhile prepare a roux with the flour, lard and paprika. When the sauerkraut is cooked to the point of being halftender, add the roux to thicken – be careful not to overthicken. Continue cooking for some minutes and add in the fish. Continue cooking over moderate heat, correcting for salt. When both the fish and cabbage are cooked, stir in the sour cream, and keep over the heat until the whole is hot.

EGYTÁLÉTELEK

Paprikás krumpli

Hozzávalók: *1,5 kg burgonya, 50 g zsír, 50 g füstölt szalonna, 150 g vöröshagyma, 1 teáskanál édesnemes paprika, 100 g paradicsompüré vagy friss paradicsom, 300 g kolbász, 2 zöldpaprika, só.*

A vöröshagymát apróra vágjuk, majd az apróra vágott szalonna kisütött zsírján pirítjuk aranyszínűre. Meghintjük pirospaprikával, hozzátesszük a meghámozott és kockákra vágott krumplit. Ízlés szerint sózzuk, az egészet átforgatjuk fakanállal, hogy a zsíros hagyma mindenütt megfogja a krumplit, ezután fedő alatt egy kis ideig főzzük, hogy az ízek jól átjárják a burgonyát. Levesszük a fedőt és a lábosba tesszük a zöldpaprikát feldarabolva, a paradicsompürét vagy a negyedekre felvágott paradicsomot, egy kis vizet öntünk hozzá és visszatesszük a fedőt, mérsékelt lángon főzzük tovább. A kolbászt eközben karikákra vágjuk és mikor a krumpli már majdnem teljesen megfőtt, hozzáadjuk ezt is. Tovább főzzük, míg az egész kellőképpen átfőtt. Melegen, azon frissiben tálaljuk.

Töltött káposzta

Hozzávalók: *1 kg savanyú káposzta, 8 szép, nagy káposztalevél, 400 g sertéshús darálva, 500 g sertésdagadó, 100 g rizs, 1 tojás, 2 evőkanál zsiradék, 1 evőkanál liszt, 200 g füstölt szalonna, 2 fej vöröshagyma, só, törött bors, 1 evőkanál pirospaprika, 100 g tejfel.*

Az egyik fej vöröshagymát megreszeljük, majd összegyúrjuk a darált hússal, a tojással, a kissé megpárolt rizzsel, sóval és törött borssal fűszerezzük. A húsmasszát ezután

36

CASSEROLES

Potatoes paprika

1 1/2 kg/3 1/4 lb potatoes, peeled and quartered, 50 gm/2 tablespoons lard, 50 gm/2 oz smoked bacon, cubed, 150 gm/2 medium Spanish onions, finely chopped, 1 teaspoon édesnemes paprika, 100 gm/4 oz tomato puree or peeled and seeded tomatoes, 300 gm/12 oz spiced sausage, 2 small yellow peppers, quartered, salt

Sautée the onions until golden in the fat given off by the bacon and the lard in the cooking pot. Add the paprika and the potatoes; turn well with a wooden spoon, to make sure that the onions and lard/bacon fat are completely mixed with the potatoes. Cover and cook slowly for the flavours to penetrate. Remove lid and add the peppers, the tomato puree or the chopped tomatoes. Add some water. Cover and cook over medium heat. Meanwhile cut the sausage into small rounds and, when the potatoes are almost cooked, add these. When everything is cooked, serve immediately.

Stuffed Cabbage

1 kg/2 1/4 sauerkraut, 8 firm large cabbage leaves, 400 gm/14 oz minced pork, 500 gm/1 lb belly of pork, diced, 100 gm/14 oz rice, 50 gm/2 tablespoons lard, 1 tablespoon flour, 1 egg, 200 gm/7 oz smoked bacon, diced, 2 medium Spanish onions, salt, ground black pepper, 1 tablespoon paprika, 100 gm/4 oz sour cream

To prepare the stuffing half-cook the rice, add to it one of the onions grated, the minced pork, the egg, salt and ground black pepper. When this is thoroughly mixed, divide into

felosztjuk nyolc részre, gombócokat csinálunk és belegöngyöljük 1-1 káposztalevélbe.

A füstölt szalonnát kis darabokra felvágjuk, serpenyőben kiolvasztjuk, majd a másik vöröshagymát apróra vágjuk, megpirítjuk a forró zsiradékban. Meghintjük paprikával, beletesszük a savanyú káposztát, erre a káposztaágyra ráhelyezzük a töltelékeket, majd a darabokra vágott sertésdagadót. Vizet öntünk hozzá és fedő alatt, mérsékelt lángon megfőzzük. Eközben rántást készítünk, s mikor már a káposzta jól átfőtt, berántjuk. Tovább főzzük, míg minden jól egybefő, majd tejfellel meglocsolva tálaljuk.

Töltött paprika

Hozzávalók: *400 g darált sertéshús, 500 g paradicsomlé, 80 g rizs, 1 tojás, 1 evőkanál zsiradék, 1 evőkanál liszt, 8 szép, nagy zöldpaprika, só, törött bors, 1 kávéskanál cukor, 1/2 vöröshagyma.*

A rizst félig megpároljuk, majd összegyúrjuk a darált sertéshússal, a tojással, sóval, törött borssal. A paprikákat megtisztítjuk, belsejüket kivájjuk, besózzuk. Ezután beletömködjük a húsos masszát. A paradicsomlevet 1 liter vízzel felhígítjuk, ízlés szerint sóval és cukorral ízesítjük, beletesszük a hagymát, majd mérsékelt lángon megfőzzük a beléhelyezett töltelékeket. Eközben a zsiradékból és a lisztből rántást készítünk, a mártást besűrítjük vele, s egy ideig még főni hagyjuk, amíg az egész jól átfő. A hagymát kivesszük, melegen tálaljuk, hozzá sós vízben főtt krumplit adunk.

Lecsó kolbásszal

Hozzávalók: *1 kg zöldpaprika, 500 g paradicsom, 100 g vöröshagyma, 200 g kolbász, 150 g füstölt szalonna, 3 teáskanál édesnemes paprika, 2 tojás.*

38

eight balls and wrap each one in a cabbage leaf. The finely chopped second onion is then sautéed in the fat given of by the bacon heated together with the lard. Sprinkle over the paprika and mix it into the sauerkraut in the cooking pot. The stuffed cabbage leaves are placed on top and then over the whole which is topped with the diced pork belly. Add enough water to cover and cook over a moderate heat. Meanwhile prepare a roux which is added when the sauerkraut is tender. Continue cooking until the stuffing has cooked, top with sour cream and serve.

Stuffed peppers

400 gm/14 oz minced pork, 500 gm/1 lb 2 oz coulis of tomatoes, 80 gm/3 oz rice, 500 gm, 1 egg, 1 tablespoon lard, 1 tablespoon flour, 8 firm large sweet yellow peppers, salt, ground black pepper, 1 level teaspoon sugar, 1/2 medium onion

Clean the peppers, cut off the cap and carefully remove seeds. Salt their insides and set to one side. Prepare the stuffing by adding the half-cooked rice and ground black pepper. Stuff the tomato sauce and place over moderate heat with the stuffed peppers and the onion.

Meanwhile prepare a roux with the lard and flour, stir it in to thicken the sauce. Continué cooking until the stuffed peppers are tender. Remove the onion and serve with boiled potatoes.

Lecso with spiced sausage
(A sweet pepper and tomato stew)

1 kg/2 1/4 lb sweet yellow peppers, sliced into rings, 500 gm/1 lb 2 oz tomatoes, peeled if you wish and

A füstölt szalonnát felvágjuk kis kockákra, majd mérsékelt lángon üvegesre kiolvasztjuk. Hozzáadjuk a vékonyra szelt vöröshagymát és megpirítjuk szép aranyszínűre. Ráhintjük a pirospaprikát, hozzáadjuk a negyedekre felvágott paradicsomot és melléje tesszük a karikákra vágott zöldpaprikát is. Sózzuk ízlés szerint, s fedő alatt pároljuk, amíg megpuhul. Akkor hozzáadjuk a karikákra vágott kolbászt is és azzal együtt még 4-5 percig pároljuk. Levesszük a fedőt és a két tojást – amit előzőleg villával jól összehabartunk – szintén hozzáadjuk. Néhány percig sülni hagyjuk, s amikor a tojás megkocsonyásodott, melegen tálaljuk.

quartered, 200 kgm/7 oz spiced sausage, cut into thin rounds, 150 gm/5 oz smoked bacon, diced, 3 teaspoons édesnemes paprika, 2 eggs

Sautée the bacon until it turns translucent and the onions in the fat until they are golden. Sprinkle with paprika, add the quartered tomatoes and then the sliced peppers. Salt to taste, cover and cook over moderate heat until the tomatoes and peppers have become soft. Then add the spiced sausages rounds and cook for a further four or five minutes. Beat the eggs, remove the lid and add in the eggs. Continue cooking, stirring all the while until the eggs have poached. Remove from heat and serve.

PAPRIKÁSOK, PÖRKÖLTEK

Marhapörkölt

Hozzávalók: *1 kg marhahús, 800 g sertészsír, 50 g vöröshagyma, 50 g édesnemes paprika, 150 g zöldpaprika, 150 g paradicsom vagy ennek megfelelő mennyiségű paradicsompüré, só, törött bors.*

A vöröshagymát megtisztítjuk és kockákra vágjuk. A zsiradékot megforrósítjuk, benne a hagymát aranyszínűre pirítjuk. Ráhintjük a pirospaprikát, hozzáadjuk a kockákra vágott húst. Fakanállal jól átforgatjuk, majd egy kevés vizet adunk hozzá, sózzuk, finoman megborsozzuk. Hozzáadjuk a felvágott paradicsomot és a csíkokra vágott zöldpaprikát és fedő alatt, mérsékelt lángon pároljuk. Mikor a hús már jól átfőtt, levesszük az edényről a fedőt és a levét kissé lesütjük. Melegen tálaljuk, mellé sós burgonyát vagy tarhonyát adunk.
Ugyanígy készül a borjú- és a sertéspörkölt is.

Csirkepörkölt

Hozzávalók: *1 kg súlyú csirke, 50 g sertészsír, 200 g vöröshagyma, 100 g zöldpaprika, 100 g paradicsom vagy ennek megfelelő mennyiségű paradicsompüré, 2 teáskanál édesnemes paprika, só.*

A zsírban a finomra vágott hagymát szép aranyszínűre pirítjuk. Meghintjük pirospaprikával és nyomban hozzáadjuk a feldarabolt csirkét. Megsózzuk, mellé adjuk a paradicsomot, a csíkokra vágott zöldpaprikát. Annyi vizet adunk csak hozzá, amennyi az elfőtt saját levének pótlására kell, majd fedő alatt, mérsékelt lángon készre főz-

42

PAPRIKA DISHES, STEWS

Beef stew

1 kg/2 1/4 lb stewing steak, cut into 1 inch cubes, 80 gm/3 1/2 tablespoons lard, 50 gm/1 medium onion, peeled and finely chopped, 50 gm/2 oz édesnemes paprika, 150 gm/6 oz sweet yellow peppers, core removed and sliced lengthwise, 150 gm/6 oz tomatoes, peeled and seeded, or tomato puree, salt, ground black pepper

Heat the lard and sautée the onion in it. Sprinkle with the paprika and add the meat cubes. Stirring continuously, brown the meat. Add just about enough water to cover, salt to taste and add the black pepper. Now add in the quartered tomatoes or the tomato purée and the peppers, cover and cook over moderate heat. When the meat has cooked, remove lid and reduce the liquid a little. Serve hot with boiled potatoes or tarhonya.

VEAL AND PORK STEWS are prepared in the same way.

Chicken stew

1 kg/2 lb chicken, jointed and cut into serving portions, 50 gm/2 oz lard, 200 gm/7 oz Spanish onions, finely chopped, 100 gm/4 oz sweet yellow pepper, cored and sliced lengthwise, 100 gm/4 oz tomatoes or tomato purée, 2 teaspoons édesnemes paprika, salt

Sautée the onion in the lard to a golden colour. Sprinkle with paprika and add the chicken pieces. Salt, add the tomato and the pepper. Add just enough water to make up for evaporation and cook covered over moderate heat.

zük. Melléje galuska a szokott körítés, savanyúságnak fejes salátát vagy uborkasalátát adunk hozzá.

Gombapörkölt

Hozzávalók: *600 g gomba, 120 g vöröshagyma, 100 g zsiradék, 300 g zöldpaprika, 100 g paradicsom, 3 teáskanál édesnemes paprika, fokhagyma és só ízlés szerint.*

A gombát megmossuk, feldaraboljuk. A vöröshagymát finomra vágjuk, forró zsiradékban megpirítjuk. Hozzáadjuk a feldarabolt zöldpaprikákat, a felszeletelt paradicsomot, a szétnyomkodott fokhagymát, a gombát. Meghintjük pirospaprikával, fakanállal jól átkavarjuk. Egy kis vizet öntünk alája és fedő alatt puhára pároljuk. Csak tálalás előtt sózzuk! Ha víz helyett vörösborral eresztjük fel, az íze még jobb lesz.

Borjúpaprikás

Hozzávalók: *800 g borjúcomb, 2 evőkanál zsiradék, 1 fej vöröshagyma, 1 kávéskanál pirospaprika, 100 g tejfel, 1 evőkanál liszt, 1 kávéskanál édesnemes paprika, só.*

A hagymát apróra vágjuk és a zsiradékban pirítjuk. Meghintjük pirospaprikával és egy kevés vizet adunk hozzá, majd fedő alatt pároljuk, míg a hagyma szétfő. Mikor a hagyma szétfőtt, levesszük a fedőt és kissé megsütjük, majd hozzáadjuk a kockára vágott borjúhúst, sóval ízesítjük, egy kevés vizet adunk hozzá és puhára pároljuk. Mikor átfőtt, a liszttel bekevert tejfelt hozzáadjuk sűrítésnek, egy kicsit még főni hagyjuk, majd azon frissiben tálaljuk. Melléje ga-

Galuska is the usual accompaniment, along with a cucumber or lettuce side-salad.

Mushroom stew

600 gm/1 lb 5 oz mushrooms, 120 gm/2 medium onions, finely chopped, 100 gm/4 oz lard, 300 gm/12 oz yellow peppers, cored and sliced, 100 gm/4 oz tomatoes, sliced, 3 teaspoons édesnemes paprika, 1 or more cloves garlic, crushed, salt

The mushrooms are cleaned and sliced. Sautée the onion in the lard. Add in the peppers, the tomatoes and the garlic and the mushrooms. Sprinkle with paprika and mix thoroughly with a wooden spoon. Add a little water, cover and steam until soft. Salt just before serving. Red wine can be used instead of water and adds to the taste.

Veal paprika

800 gm leg of veal, cubed, 50 gm/2 tablespoons lard, 1 Spanish onion, finely chopped, 1 teaspoon paprika, 100 gm/4 oz sour cream, 1 tablespoon flour, 1 teaspoon édesnemes paprika, salt

Sautée the chopped onion in the lard. Sprinkle with paprika, add a little water and cook covered until the onion turns mushy. Once this happens, remove the cover and continue cooking for a short time. Then add the cubed veal, season with salt, add some more water and simmer until the meat is tender. Beat the flour into the sour cream and add a spoonful at a time into the stew. Bring back to the simmer and cook for a short time. Serve with a galuska accompanied by a lettuce salad or pickled gherkins.

luskát adunk kísérőnek, savanyúságnak fejes salátát vagy vizes uborkát.

Csirkepaprikás

Hozzávalók: *2 fej vöröshagyma, 2 evőkanál zsiradék, 1 kg súlyú csirke, 1 paradicsom, 1 evőkanál édesnemes paprika, 1 teáskanál só, 1 zöldpaprika, 100 g tejfel, 1 evőkanál liszt.*

A feldarabolt vöröshagymát a forró zsiradékban pároljuk, míg, kissé szétfő. Ekkor hozzáadjuk a feldarabolt csirkét és a cikkekre vágott paradicsomot, s fedő alatt tovább főzzük kb. 10 percig. Meghintjük pirospaprikával, egy kevés vizet adunk hozzá, sózzuk. Mérsékelt lángon, fedő alatt tovább főzzük kb. fél óra hosszat. A fél óra vége felé a fedőt levesszük a lábasról, hogy a víz kissé elpárologhasson. Mikor eléggé besűrűsödött, készre főzzük, vigyázva, hogy oda ne égjen a mártás. Szükség esetén egy kevés vizet öntünk alája.

Mikor a csirkehús jól átfőtt, kivesszük a mártásból a csirkedarabokat, a liszttel simára kevert tejfelt hozzáadjuk a mártáshoz, szükség szerint utánasózzuk és jól elkeverjük. Ezután hozzáadjuk a csíkokra vágott zöldpaprikát, visszatesszük a csirkedarabokat és fedő alatt, mérsékelt lángon készre főzzük.

Melegen tálaljuk, közvetlenül tálalás előtt még némi tejfellel meglocsoljuk a csirkét. Melléje galuskát adunk, savanyúságnak fejes salátát vagy uborkasalátát.

Báránypaprikás

Ugyanúgy készül, mint a borjúpaprikás, de víz helyett száraz vörös bort adunk hozzá, abban pároljuk meg. Melléje sós vízben főtt burgonyát adunk.

Chicken paprika

1 kg/2 1/4 lb chicken, jointed and in serving-size pieces, 50 gm/2 tablespoons lard, 1 large tomato, peeled and quartered, 1 teaspoon édesnemes paprika, 2 medium Spanish onions, finely chopped, 1 teaspoon salt, 1 sweet yellow pepper, 100 gm/4 oz sour cream, 1 tablespoon flour

Sautée the onions in the hot lard until they are soft and mushy. Add in the chicken pieces and the quartered tomato. Cook covered for ten minutes. Sprinkle with the paprika, add a little water and the salt. Cover and cook over moderate heat for about 30 minutes. Remove cover to reduce the sauce a little. Take care not to allow the sauce to burn – add a little water if necessary. Continue cooking until the chicken is done.

Once the chicken is cooked, remove the pieces from the sauce. The sauce is thickened by adding the flour beaten into the sour cream. Then add the pepper, return the chicken pieces to the casserole and reheat over moderate heat.

Serve hot after adding a little more sour cream to the chicken sauce. The usual accompaniment is galuska and either a lettuce or pickled gherkins.

Lamb paprika

This is prepared in exactly the same way as CHICKEN PAPRIKA, the only difference being that the meat is simmered in red wine rather than water.

Serve with boiled potatoes.

PECSENYÉK

Tűzdelt bélszín

Hozzávalók: *700 g bélszín, 1 evőkanál zsiradék, 150 g füstölt szalonna, 100 g tejfel, só.*

Az alaposan megtisztított bélszínt megtűzdeljük a feldarabolt szalonnával, s megsózzuk. A zsiradékot felforrósítjuk, benne a húst megpirítjuk kissé mindkét oldalán. Ezután egy kevés vizet öntünk alá és fedő alatt puhára pároljuk. Mikor jól átfőtt már, a húst kivesszük az edényből és *elkészítjük a mártást:* tejfellel besűrítjük, ízlés szerint utánafűszerezzük. A húst eközben felvágjuk szeletekre, s visszatesszük a mártásba, hogy jól átforrósodjon. Azon frissiben tálaljuk. Főtt burgonyával vagy burgonyafánkkal körítjük.

Burgonyafánk

Hozzávalók: *250 g főtt, áttört burgonya, 250 g liszt, 20 g élesztő, 1 tojás, 1 evőkanál olaj, só, a sütéshez olaj, 1 csésze tej.*

A burgonyát összegyúrjuk a liszttel, a tejben megfuttatott élesztővel, a tojással, majd langyos tejet adunk hozzá és egy kis olajjal megdagasztjuk. A tésztát kinyújtjuk ujjnyi vastagságúra, majd kis fánkokat szaggatunk belőle. Kelni hagyjuk két óra hosszat, majd olajat forrósítunk és abban a fánkokat kisütjük.

Eszterházy rostélyos

Hozzávalók: *1 kg rostélyos, 3 fej vöröshagyma, 2-2 szál sárgarépa és gyökér, 2 evőkanál zsiradék, 100 g fehérbor, mustár, citromlé, só ízlés szerint, 100 g tejfel.*

MEAT DISHES

Larded Sirloin

700 gm/1 1/2 lb sirloin, 25 gm/1 tablespoon lard, 150 gm/5 oz diced smoked bacon fat, 100 gm/4 oz sour cream, salt

Lard the sirloin with the diced bacon. Heat the lard and brown the meat in it on all sides. Add a little water and cook covered until the meat is tender.

When the meat is cooked, remove from the casserole and keep in a warm place. Prepare the sauce as follows: add the sour cream to the casserole juices and stir to thicken. Season to taste. Slice the meat and return to the sauce to reheat. Serve immediately with either boiled potatoes or croquettes.

Croquettes

250 gm/1/2 lb boiled and mashed potatoes, 250 gm/9 oz flour, 20 gm/1 oz yeast, 1 egg, 1 tablespoon of oil, salt, 1 cup milk

Put the yeast into half cup of warm milk. When it has risen, add it to the mashed potatoes, the flour, the egg, the rest of the milk and a little oil. Knead well and shape into a large ball, from which cylinders of about 2 inches in length and 1/2 inch thick should be rolled. Leave for two hours and cook in hot oil.

Eszterházy steak

1 kg/2 1/4 lb ribsteak, cut in rounds, 3 Spanish onions, sliced, 2 carrots, sliced in rounds, 2 parsnips,

A húst szeletekre vágjuk, megsózzuk, mustárral bekenjük és forró zsírban mindkét oldalán megsütjük hirtelen. A megtisztított, karikákra vágott zöldséget, hagymát, kevés lisztet és a bort a hús levéhez adjuk és fedő alatt, mérsékelt lángon megpároljuk. Amikor jól megpuhult a hús, kivesszük az edényből, s citromlével és tejfellel ízesítjük, besűrítjük a mártást. Ezután a húst visszatesszük, még egyszer átforrósítjuk és melegen tálaljuk. Karikára vágott zöldpaprikával szokták a tálon lévő húst díszíteni.

Rakott felsál

Hozzávalók: *1 kg marhafelsál, 200 g füstölt szalonna, 50 g zsiradék, 1 kg burgonya, 100 g vöröshagyma, 2 teáskanál édesnemes paprika, 200 g tejfel, só.*

A húst megmossuk, szeletekre vágjuk, majd a felforrósított zsiradékban hirtelen mindkét oldalán kisütjük.

A szalonnát felvágjuk szeletekre, kibélelünk velük egy tűzálló tálat. A megtisztított és karikákra vágott hagymából egy sort a szalonnára rakunk, sót és paprikát hintünk rá. Ezután egy sor karikára vágott burgonya következik. Fölébe hússzeletek jönnek, majd ismét egy sor burgonyakarika következik, amire megint vöröshagymát raktunk. Sóval, paprikával meghintjük, rátesszük a kimaradt hússzeleteket, befedjük a fennmaradt burgonyakarikákkal. A tetejét leöntjük tejfellel.

A tűzálló tálat sütőbe tesszük és mérsékelt lángon addig sütjük, amíg minden jól átpuhul benne. Ekkor kis ideig erős lángon sütjük, hogy a tetején szép színű réteg képződjék.

Melegen tálaljuk, melléje ecetes uborkát adunk.

sliced in rounds, 50 gm/2 tablespoons lard, 100 ml/1/5 pint white wine, mustard, lemon juice, salt, 100 gm/4 oz sour cream

Salt the slices of steak, brush them with mustard and brown them on both sides in the hot lard. Add the wine and a little flour to the casserole and then the sliced vegetables. Cook covered over moderate heat. When the meat is quite tender, remove from the casserole and keep in a warm place. Add a little lemon to the sauce, then thicken it with the sour cream. Return the meat to the sauce, reheat and serve. It is customary to garnish the serving plate with rings of sliced sweet yellow peeper.

Layered rump steak

1 kg/2 1/4 lb rump steak, sliced into rounds, 200 gm/7 oz smoked bacon fat, 50 gm/2 tablespoons lard, 1 kg/2 1/4 lb potatoes, peeled and sliced, 100 gm/4 oz Spanish onion, finely sliced, 2 teaspoons édesnemes paprika, 200 gm/7 oz sour cream

Cut the rump into rounds and brown them quickly in the hot lard. Slice the bacon fat and line an oven-proof dish with it. Place a layer of sliced onion over the bacon, sprinkle with salt and paprika. Then comes a layer of potatoes onto the meat, then another of onions; sprinkle with salt and paprika. Top it off with the remainder of the meat and finally with the last of the potatoes. Pour sour cream evenly over the top. Place into warm oven and cook at moderate setting until it is cooked through. Turn oven up so that the top is given a good gratin finish.

Serve hot, accompanied with pickled gherkins.

Vadas hús

Hozzávalók: *1 kg marhafartő vagy borda, 100 g füstölt szalonna, 1-2 petrezselyemgyökér, 2 fej vöröshagyma, só, bors, babérlevél, citromhéj, 1 evőkanál ecet, 100 g fehérbor, 1 teáskanál cukor, 1 evőkanál liszt. (Ha van: bazsalikom és kakukkfű még ízesebbé teszi!)*

A húst megtisztítjuk és jól kiverjük. A szalonnát apróra vágjuk és megtűzdeljük vele a húst. Eközben elkészítjük a páclevet, amiben a húst főzni fogjuk: a karikákra vágott hagymát és zöldségeket vízzel felöntjük, hozzáadjuk a citromhéjat, babérlevelet, s ecettel és sóval, borssal ízesítve főzzük, amíg a zöldségek megpuhulnak. A páclevet a húsra öntjük, és egy éjszakán át benne hagyjuk pácolódni. Elkészítéskor a hússzeleteket forró olajban mindkét oldalon megsütjük, majd a páclében puhára pároljuk. Amikor a hús megpuhult, sütőbe tesszük és sűrű locsolgatás közben átsütjük. Ezután a páclevet leszűrjük, a zöldségeket zsiradékban átpirítjuk, egy kis liszttel meghintjük, egy kis pirított cukrot adunk hozzá, majd tovább pirítva felengedjük az átszűrt páclével, s a bort is hozzáadva készre főzzük a mártást és a húsra öntjük. Tálaláskor tejfellel meglocsoljuk, melléje zsemlegombócot adunk körítésnek. A zsemlegombóc készítése: 2-3 zsemlét kockákra vágunk, zsiradékban megpirítunk. Tejet öntünk rá és állni hagyjuk, amíg magába szívja a folyadékot. Ekkor ráütünk 2 tojást, majd összekeverjük annyi liszttel, hogy galuskatésztát kapjunk. Ízlés szerint sóval ízesítjük, negyed óráig állni hagyjuk. Gombócokat formálunk a tésztából és forró sós vízben kifőzzük a gombócokat. Ügyelni kell, hogy alaposan átfőjjön a belseje is!

Csemege sertéskaraj

Hozzávalók: *1 kg sertéskaraj, 1 fej vöröshagyma, 1 gerezd fokhagyma, 1 paradicsom, 1 zöldpaprika, 1 evőkanál zsiradék.*

Braised Beef with game sauce

1 kg/2 1/4 lb rump steak, 100 gm/smoked bacon fat, cubed, 1 or 2 parsnips, sliced into rounds, 2 Spanish onions, sliced into rounds, salt, black pepper, bayleaf, lemon peel, 1 tablespoon vinegar, 100 cl/1/5 pint white wine, 1 teaspoon sugar, 1 tablespoon flour, basil and thyme may be used if wished

Wash and wipe the meat. Lard it with the bacon. Meanwhile prepare a marinade by adding water to the parsnips and onions, then the lemon peel, the bayleaf, the vinegar and salt. Add pepper to taste and cook until the vegatables are al dente. Place the meat in this and marinate overnight.

Slice the meat into serving rounds and brown on both sides in oil. Heat up the marinade and cook the meat in this until the meat is tender.

Pork Cutlets

1 kg/2 1/4 lb loin of pork, boned, 1 Spanish onion, 1 clove garlic peeled and crushed, 1 large tomato, peeled and chopeed, 1 yellow pepper, seeded and sliced, 1 tablespoon lard, 1 tablespoon mustard

Roll and tie up the pork. Salt it and brush it with mustard. In the heated lard brown the meat in a casserole. Add the onion, tomato, pepper and garlic with a little water and cook gently until the vegetables are soft. Put into warm oven and cook at moderate setting until the pork has taken a fine crakckling. Remove from oven, cut string and slice into serving rounds. Pass the cooking liquid through a sieve and pour over the pork. Serve accompanied with steamed cabbage and potatoes.

A karajt kicsontozzuk, zsineggel összekötjük, hogy hengeres formát kapjon, majd bedörzsöljük sóval, mustárral.

A zsiradékot felforrósítjuk, megpirítjuk benne a húst. Majd mellé tesszük a feldarabolt hagymát, paradicsomot, zöldpaprikát, a szétnyomkodott fokhagymát és egy kevés vízzel addig pároljuk, míg megpuhul. Ezután a sütőbe tesszük és szép ropogósra megsütjük. A zsineg eltávolítása után a húst szeletekre vágjuk. A levet átszűrjük, úgy öntjük rá. Körítésnek párolt káposztát és burgonyát adunk mellé.

Sertéstokány

Hozzávalók: *800 g sovány sertéshús, 60 g zsiradék, 1-2 fej vöröshagyma, 1 gerezd fokhagyma, 100 g fehérbor, 1 evőkanál liszt, só, törött bors, 50 g paradicsompüré.*

A sertéshúst egyenletes, vékony csíkokra vágjuk, megsózzuk és liszttel összekeverjük. A finomra vágott hagymát zsíron aranysárgára pirítjuk, hozzáadjuk a paradicsompürét, majd kis idő múlva a húst is. Az egészet jól átpirítjuk, vigyázva, hogy a paradicsompüré le ne égjen! Feleresztjük kevés vízzel, sóval és borssal fűszerezzük, hozzáadjuk a bort is. Fedő alatt puhára pároljuk a húst, a főzés vége felé levesszük a fedőt és a mártást kissé besűrítjük. Köretnek főtt burgonyát vagy rizst adunk mellé.

Pirított sertésmáj

Hozzávalók: *700 g sertésmáj, 200 g vöröshagyma, 100 g zsiradék, 1 csomó petrezselyemzöldje, 1 evőkanál pirospaprika, 1 teáskanál törött bors, só.*

Pork and Vegetable Stew

800 gm/1 3/4 lb lean pork, cubed, 60 gm 2 1/2 oz lard, 1 or 2 Spanish onions, finely chopped, 1 clove garlic, crushed (optional), 100 cl/1/5 pint white wine, 1 tablespoon flour, salt, ground black pepper, 50 gm/2 oz tomato purée

The pork should be cut it into longish thin strips, salted and rolled in flour. Sautée the onions to a golden colour in the hot lard. Add the tomato paste stir in well and then the meat. (Take care not to let the tomato purée burn.) When the meat is browned, add a little water, pepper and salt and the white wine. Stew gently covered. When the meat is almost cooked, remove cover to reduce the liquid a little. Serve with rice or boiled potatoes.

Sautéed Pork Liver

700 gm/1 1/2 lb pork liver, cut into fingerthin strips, 200 gm/7 oz Spanish onion, sliced, 100 gm/4 oz lard, a good handful of parsley, finely choped, 1 tablespoon paprika, 1 teaspoon ground black pepper, 1 tablespoon marjoram, salt

Sautée the onion in the hot oil until it turns golden. Add the liver strips and brown quickly over high heat. When the liver is almost browned add in the pepper, paprika and marjoram. Continue cooking, stirring regularly until done. Salt only just before serving.

Sautéed liver must always be prepared immediately before serving. Serve with mashed potatoes and a green salad or other salad.

A sertésmájat kisujjnyi vastag csíkokra vágjuk, a hagymát felszeleteljük, a petrezselyemzöldjét finomra vágjuk.

A zsírban a hagymát aranysárgára pirítjuk, hozzáadjuk a májat és nyílt lángon lepirítjuk. Ha a máj háromnegyed részben megpirult, törött borssal és pirospaprikával fűszerezzük és ezzel együtt készre pirítjuk. Sózni csak közvetlenül tálalás előtt szabad!

Mindig frissen, közvetlen tálalás előtt készítjük. Tört burgonyát, fejes salátát – vagy más salátát – adunk melléje.

Vagdalthús

Hozzávalók: *600 g nem túlságosan zsíros sertéscomb, 2 zsemle, 2 tojás, 1 evőkanál só, 1 teáskanál törött bors, csipetnyi őrölt szegfűbors, 1 csomó petrezselyemzöldje, 1 gerezd fokhagyma, 1 fej vöröshagyma, 100 g tej.*

A hagymát finomra vágjuk, zsiradékban megpirítjuk, majd egy kevés vízzel felengedve, fedő alatt szétfőzzük. A húst a tejben áztatott és jól kicsavart zsemlékkel húsdarálón átengedjük. A hagymával, sóval, törött borssal, szegfűborssal, vágott petrezselyemmel és tojással jól összedolgozzuk. Egy-két órára hűtőszekrénybe tesszük pihenni.

Egy sütőtepsit margarinnal kikenünk. Belehelyezzük a vagdaltat úgy, hogy vizes kézzel ovális alakúra formáljuk. Sütőbe tesszük és közepes lángon, sűrű locsolgatás közepette sütjük. Mikor jól átsült, azonnal tálaljuk. Kissé ferdére szeletelve tesszük a tálra és saját pecsenyelevével körülöntjük.

Burgonyapürét, angol zöldségköretet adhatunk melléje.

Sertésborda "betyárosan"

Hozzávalók: *800 g sertéskaraj, 200 g vöröshagyma, 200 g gomba, 200 g füstölt szalonna, 200 g zöldpaprika, 200 g paradicsom, 500 g burgonya, 1 csomó petrezselyemzöldje, 1 gerezd fokhagyma, 1 teáskanál törött bors, só.*

Meatloaf

600 gm/1 l/3 not too fat pork, leg or flank, 2 bread rolls or 2 large slices of bread, crusts retained, 2 eggs, 1 tablespoon salt, 1 teaspoon ground black pepper, 1 pinch ground allspice, a good handful of parsley, 1 clove garlic, 1 Spanish onion, 100 cl/1/5 pint milk

Chop up the bread roughly and set aside to soak in the milk. Meanwhile sautée the finely chopped onion in the hot lard, add a little water, cover and cook until mushy. The meat is minced together with the soaked bread. Mix this thoroughly with the onion, salt, pepper, parsley and egg. Leave in the refrigerator for an hour or two. Rub an oven dish with margarine. With wet hands shape the meatloaf into an oval form and put it into the dish. Place into medium oven and baste frequently. Once it has cooked thoroughly, put into warm serving plate and slice diagonally. Spoon the juices around it and serve immediately with pureed potatoes and boiled green vegetables.

Pork cutlets outlaw style

800 gm/3/4 lb pork loin cutlets, cut into equal portions, 200 gm/7 oz Spanish onion, finely chopped, 200 gm/7 oz mushroom quartered, 200 gm/ 7 oz yellow pepper, seeded and cut into strips, 200 gm/7 oz smoked bacon, diced, 200 gm/7 oz tomatoes, peeled, seeded and chopped, 500 gm/1 lb 2 0z potatoes, 1 clove garlic, 1 teaspoon ground black pepper, salt, a handful of parsley finely chopped

Rub the slices of meat with garlic and salt and stand for 15 minutes. Meanwhile wash the potatoes and bake them in their jackets.

A húst egyforma szeletekre vágjuk, sóval, fokhagymával bedörzsöljük, majd negyed óra hosszat állni hagyjuk. Közben a burgonyát megmossuk és héjában megsütjük.

A füstölt szalonnát kockákra vágjuk, kisütjük, hozzáadjuk az apróra vágott vöröshagymát, a cikkekre vágott gombát, a csíkokra vágott zöldpaprikát, paradicsomot, amelynek előzőleg eltávolítjuk a magját. Mikor megsült, borssal ízesítjük, a végén hozzáadjuk a finomra vágott petrezselymet is.

A karajszeleteket zsírban pirosra sütjük.

A burgonyát meghámozzuk, karikákra vágjuk és tálra tesszük. Megsózzuk, tetejébe tesszük a sült hússzeleteket, ráöntjük a zsírt, amelyben a bordák megsültek. Végül az előzőleg elkészített gombás-zöldséges ragut a tetejére öntjük, s azon frissiben tálaljuk.

Krúdy-falatok

Hozzávalók: *600 g sertéscomb, 50 g zsír, 100 g liszt, 100 g tejfel, 100 g sonka, 5 tojás, petrezselyemzöldje, só, törött bors, 3 fej saláta.*

A sertéscombot felszeleteljük, kiverjük és sóval, borssal megszórjuk. Mindkét oldalát lisztbe mártva, forró zsírban megsütjük. A tojásokból, tejfelből és egy csipetnyi lisztből 1 szelet sonkával lepényt sütünk. A vegyes körettel tálalt húst beborítjuk a pirosra sült tojáslepénnyel. Zöldsalátát adunk mellé.

In a pan, cook the bacon dices until they render their fat then add in the onions, mushrooms, peppers and tomatoes. When this has cooked, add pepper to taste and the parsley. The pork cutlets are cooked in lard.

Meanwhile peel and slice the potatoes and place them on a warm serving plate.

Salt and place the cutlets on top, pouring the cooking juices over them. Finally pour over the stewed vegetables and serve.

Krúdy cutlets

600 gm/1 lb 5 oz leg of pork, cut in slices, 150 gm/5 oz lard, 100 gm/4 oz flour, 100 gm/4 oz sour cream, 100 gm/4 oz ham, 5 eggs, parsley, salt, ground black pepper

Sprinkle salt and black pepper over the meat. Dip both sides in flour and cook in hot lard. With the eggs, sour cream, the diced ham and a pinch of salt make an omelette. Cover the meat with this omelette and serve with mixed buttered vegetables. A lettuce salad is the usual accompaniment.

MELEG TÉSZTÁK

Túrógombóc

Hozzávalók: *500 g tehéntúró, 3 tojás, 200 g búzadara, 2 evőkanál olaj, 4 evőkanál zsemlemorzsa, só.*

A szitán áttört túrót összegyúrjuk a tojásokkal, hozzáadjuk a búzadarát, csipetnyi sót is és a jól összedolgozott masszát néhány óra hosszat pihenni hagyjuk.

Elkészítéskor kis gombócokat formálunk belőle (a kezünket vizesítsük meg, hogy ne tapadjon hozzá), sós vízben kifőzzük. Mikor megfőtt, kiszedjük és az előzetesen zsiradékban megpirított zsemlemorzsában meghempergetjük. Ízlés szerint egy kevés melegített tejfellel is meglocsolhatjuk.

Lekváros derelye (Barátfüle)

Hozzávalók: *Gyúrt tészta (l. készítését alább), 500 g szilvalekvár, 100 g darált dió, 1 evőkanál zsiradék, 4 evőkanál zsemlemorzsa, só és cukor, ízlés szerint.*

A gyúrt tészta – a derelyék, metéltek "alapanyaga" – 250 g lisztből, 1 tojás, csipetnyi só, kevés víz hozzáadásával készül oly módon, hogy az egészet alaposan összegyúrjuk, egy óra hosszat pihentetjük, majd a kívánt vastagságra nyújtjuk és megfelelő formára felvágjuk.

A lekváros derelye készítésénél a kinyújtott tészta felére, egyenlő közökben kis lekvárhalmokat rakunk, majd ráborítjuk a tészta másik felét, az ujjunkkal összenyomkodjuk a lekvárhalmok közti részeket és a tésztát kockákra felvágjuk, hogy mindegyik kockában egy-egy lekvárhalom legyen. A kockákat forró sós vízbe dobjuk, s kifőzzük. Eközben a

PASTAS AND PASTRIES

Curd cheese dumplings

500 gm/1 lb 2 oz curd cheese, 3 eggs, 200 gm/7 oz semolina, 2 tablespoons semolina, 4 tablespoons breadcrumbs, salt

Press the curd cheese through a sieve, add the eggs, the semolina and a pinch of salt. Work the ingredients together and set aside for a couple of hours. Make dumplings the size of a tennis ball with wet hands and boil them in salted water. When they are cooked take them out of the water and roll them in breadcrumbs that have been browned in a little lard. Serve the dumplings with a little sour cream poured on top to taste.

Jam pockets

For the dough: 250 gm/1/2 lb flour, 1 egg, pinch of salt
For the filling: 500 gm/1 lb 1 oz plum jam, 100 gm/4 oz ground walnuts, 1 tablespoon lard, 4 tablespoons white bread crumbs, salt, sugar

Make a dough with the flour, egg, pinch of salt and a little water. Set aside for an hour. Roll out to the desired thickness and cut in half.

On one sheet of the dough, place small spoonfuls of the jam at about 5 cm/2 inch intervals. Place the second sheet over this and press down with fingers between the mounds of jam. Cut into pockets so that each pocket contains jam. Put the pockets into boiling salted water. When they are cooked they rise to the surface. Remove the pockets and put them into the breadcrumbs browned in

zsemlemorzsát forró zsiradékban megpirítjuk. Az átfőtt tésztát kiszedjük a vízből és olvasztott zsiradékban meghempergetjük, majd pirított zsemlemorzsával összekeverjük. Egy másik változatban cukorral kevert darált dióval hintjük meg a tésztát – ilyenkor a zsemlemorzsa elmaradhat.

Diós, mákos metélt

Hozzávalók: *Gyúrt tészta (l. 60. oldalon), darált dió vagy őrölt mák, porcukor ízlés szerinti mennyiségben, 2 evőkanál zsiradék.*

A tésztát forró sós vízben kifőzzük, mikor átfőtt, leszűrjük. A lábosban a zsiradékot megforrósítjuk, a tésztát beletesszük és alaposan összekeverjük. A diót, illetve a mákot a cukorral összekeverjük, s a tésztát ezzel meghintve, melegen tálaljuk.

Túrós csusza

Hozzávalók: *250 g liszt, 2 tojás, 2 evőkanál vaj, 250 g túró, 100 g tejfel, 100 g apró tepertő, só.*

A lisztből és a tojásokból csipetnyi sóval és negyed csésze langyos vízzel gyúrjunk kemény tésztát. Osszuk fel két egyenlő részre. A két cipót tegyük meglisztezett gyúródeszkára és nyújtsuk ki nagyon vékonyra. Hagyjuk szikkadni mindkét levelet öt percig mindkét oldalán.

Forraljunk egy lábosban vizet, amelybe kevés sót tettünk. A tésztából kézzel tépkedjünk le 3-4 centiméteres darabokat és dobjuk a forró vízbe. Mikor megfőtt, az olvasztott vajba szedjük ki és keverjük össze. Tálra rakjuk, megszórjuk a tetejét a túróval, meglocsoljuk bőven tejfellel, rá-

lard, shaking to get them well covered. A variation is to finish the pockets in walnuts mixed with sugar — in this case the breadcrumbs are omitted.

Pasta with walnuts or poppy-seeds

Flat pasta (see p. 61.), ground walnuts or ground poppy-seeds, castor sugar, 2 tablespoons lard

Cook the pasta in boiling salted water and drain. Heat the lard in a pan, add the pasta and toss well. The walnut or poppy-seeds are mixed with sugar to taste and sprinkled over the pasta. Serve warm.

Curd cheese pasta

250 gm/9 oz flour, 2 eggs, 2 tablespoons butter, 250 gm/7 oz curd cheese, 100 gm/4 oz sour cream, 100 gm/4 oz fried bacon fat or pork crackling, diced, salt

Make a stiff dough out of the flour, eggs, a pinch of salt and 1/4 cup luke-warm water. Divide into two equal parts. Roll these out very thin on a well-floured board. Let the sheets of dough dry out for five minutes. Bring a pot of lightly salted water to the boil. With your hands tear off small 3-4 cm / 1-1 1/2 inch bits from the sheets and throw them into the boiling water. While they are cooking, crisp fry the bacon or crackling dice. Drain the pasta and turn onto a dish of melted butter; toss well and place on a serving dish. Mix in the curd, pour over the sour cream and sprinkle with the bacon dice.

Before serving cover the dish with a warm inverted plate so that the curd will be warmed by the steam given off by the pasta. Do not heat in the oven as this will harm the taste.

hintjük a tepertőt. Tálalás előtt a tálat fedjük le egy előre melegített másik tállal, hogy jól átmelegedjék a tejfel is az étel gőzében. Sütőbe ne tegyük, mert árt a tejfel ízének.

Palacsinták

Hozzávalók (12-14 palacsintához): *3 tojás, 1 1/4 csésze liszt, 1 csésze tej, 1 teáskanál cukor, csipetnyi só, 1 csésze szódavíz, vaj a palacsinták kisütéséhez, esetleg olaj.*

Keverjük össze a tojásokat, lisztet, cukrot, sót, míg szép, sima palacsintatésztát nyerünk. Tegyük félre pihenni egy-két órára. Közvetlenül sütés előtt adjuk hozzá a szódavizet. Forrósítsunk meg egy serpenyőt. Mikor elég forró, tegyünk bele a vajból vagy olajból egy kávéskanálnyit. Mikor átforrósodott, tegyünk egy adagot a tésztából a serpenyőbe kanállal, gyengéden mozgassuk ide-oda a serpenyőt, hogy a tészta egyenletesen belepje mindenütt. Mikor a tészta hólyagosodni kezd, fordítsuk át a palacsintát a másik oldalára és süssük még néhány másodpercig. Mikor megsült, vegyük ki a serpenyőből. Újabb kiskanálnyi vajat vagy olajat teszünk a serpenyőbe, s folytatjuk a palacsinták sütését, míg az egész tésztamennyiség elfogy.

Töltelék: A palacsintákat megtölthetjük lekvárral, porcukorral kevert dióval vagy mákkal, porcukros kakaóval, vaníliakrémmel, túróval. Az utóbbi két töltelék receptje:

Vaníliakrémhez hozzávalók: 30 g vaj, 30 g liszt, 1 1/2 csésze tej, 1 csomag vaníliás cukor, 3 teáskanál porcukor.

A hozzávalókat összekeverjük, mérsékelt lángon főzzük, amíg sűrű krémmé áll össze. Ezt a krémet tesszük a pala-

Pancakes

(Serves 12 to 14): 3 eggs, 1 1/4 cup of flour, 1 cup milk, 1 teaspoon sugar, pinch of salt, 1 cup soda-water, butter or oil

Beat the eggs, flour, sugar, salt together thoroughly to make a smooth pancake batter. Set aside to rest for an hour or two. Just before cooking, beat in the soda-water. Heat a pan. When quite hot, spoon in the butter or oil. When that is hot, ladle in some of the batter and gently shake the pan so that it does not stick. When the batter begins to form small bubbles, carefully turn over with a knife or spatula and cook for a few more seconds. Remove and set aside on a warm plate. Add some more oil or butter, wait until hot and pour in another ladleful of the batter. Repeat until all the batter is used up.

Pancakes can be filled with jam, walnuts, poppy-seeds or cocoa, mixed with castor sugar. Two other fillings are given below.

Vanilia cream pancake filling: 30 gm/1 oz butter, 30 gm/1 oz flour, 1 1/2 cup milk, 10 gm/2 teaspoons vanilla sugar, 3 teaspoons castor sugar

Mix the ingredients thoroughly and cook over moderate heat until it becomes a thick cream sauce. This is then used to fill the pancakes which, before serving, can have a little more vanilla sugar sprinkled on them.

Curd cream pan-cake filling: 250 gm/9 oz curd cheese, 2 eggs, 3 teaspoonfuls castor sugar, grated lemon peel, 50 gm/2 oz raisins, 200 gm/7 oz sour cream, 1 tablespoon milk

csintákba, amelyeket tálalás előtt még vaníliás porcukorral meghintünk.

Túrós palacsinta töltelékéhez hozzávalók: 250 g tehéntúró, tojás, 3 teáskanál porcukor, reszelt citromhéj, 50 g mazsola, 200 g tejfel, 1 evőkanál tej.

A tojások sárgáját hozzáadjuk a szitán áttört túróhoz és a citromhéjjal, mazsolával, cukorral, tejjel, fele tejfellel összekeverjük. A tojások fehérjéből kemény habot verünk, a masszához óvatosan hozzákeverjük ezt is. A krémmel megtöltjük a palacsintákat, majd a töltött palacsintákat tűzálló tálba tesszük és a maradék túrókrémet – a maradék tejfellel összekeverve – rájuk öntjük. Sütőbe tesszük és mérsékelt lángon átsütjük, míg szép színt kap.

Rétes

Hozzávalók a rétestésztához: *A rétes készítéséhez nagy sikértartalmú ("kemény") lisztet használunk: 500 g liszt, 120 zsír, 300 g enyhén ecetes langyos víz, só, 1 tojás.*

Az átszitált liszt közepén kis mélyedést csinálunk, ebbe evőkanálnyi fagyos zsírt és annyi langyos vizet (kb. 200 g) öntünk, hogy puha, majdnem szétfolyó tésztát nyerjünk. Ha a liszt sikértartalma bizonytalan, adjuk hozzá a tojást is, ezzel biztosíthatjuk a tészta nyúlósságát. Dolgozzuk mindaddig, míg selymes, puha hólyagokat vet, s kézről és edényről leválik (kb. negyed óra). Cipót formálunk a tésztából, gyúrótáblára tesszük, a tetejét langyos zsírral megkenjük és letakarva fél óra hosszat pihentetjük. Liszttel meghintünk egy asztalra terített abroszt, a tésztát erre helyezzük, zsírral újból átkenjük és kezünket meglisztezve, két kezünk fején papírvékonyságúra nyújtjuk. A vastag széleket leszedjük és

Pass the curd cheese through a sieve and add the egg yolks, lemon peel, raisins, sugar, milk and half the sour cream. Fold in the beaten egg whites. Fill the pancakes with this filling, roll them up and place them on an oven-proof dish. Mix the rest of the filling with some sour cream and top the pancakes with it. Bake in a moderate oven to a golden colour.

Strudel

For the dough:, 500 gm/1 lb 2 oz flour (use flour with high gluten content), 120 gm/4 1/2 oz lard, 300 gm/2 cups slightly vinegary lukewarm water, salt , 1 egg

Sift the flour through a sieve into a heap and make a hole in the centre. Into this hole put a tablespoon of lard and enough water to make it into a soft, almost liquid dough (about 200 gm / 1 1/2 cup). If the gluten content of the flour is not marked as very high, add an egg to make the dough tensile. Work the ingredients together for about 15 minutes until the dough is smooth, bubbly and comes clean off from your hands and the dish. Make a loaf of the dough on a baking board, brush the top with some melted lard and set it aside for half an hour. Lay a table cloth on the kitchen table, sprinkle it with flour and place the dough on this. Smear it with melted lard again then dip your hands in flour, pick up the dough with the knuckles of both hands and spread it towards the edge of the table in all directions until it is paper-thin and covers the whole table and hangs down over the edges. Tear off any thick edges and leave the rest on the table to dry. Brush the dough again with melted lard, sprinkle some white bread-crumbs on it then spread the previously prepared filling

a tésztát így hagyjuk pihenni, amíg megszikkad. Meleg zsírral meglocsoljuk, s rúd alakban, zsemlemorzsával meghintve, megtöltjük az előre elkészített töltelékkel. A tésztát rúddá hajtogatjuk, tetejét langyos zsírral megkenjük. Zsírral átkent, peremes sütőlapra tesszük és előre melegített sütőben, mérsékelt lángon megsütjük (30-35 perc). A sütés vége felé "felső lángot" használunk, hogy a tészta teteje megszínesedjék.

Töltelékek: Túrós réteshez 3 evőkanál porcukrot 50 g vajjal és 3 tojás sárgájával simára keverünk. Hozzáadunk 300 g tehéntúrót, 3 evőkanál tejet, 1 evőkanál lisztet, 50 g mazsolát, végül pedig a tojások fehérjéből vert habot.

Almás réteshez töltelék: 1 kg alma, 50 g apróra vágott dióbél, 50 g mazsola, 30 g cukor, 1 evőkanál őrölt fahéj, 2 evőkanál vaj, 1 evőkanál zsemlemorzsa, 1 teáskanál zsír.

Az almát meghámozzuk, megtisztítjuk, megreszeljük. A reszelt almához hozzákeverjük a diót, mazsolát, cukrot és a fahéjport. Adjuk hozzá az olvasztott vajat és keverjük össze alaposan. Ez a töltelék kerül a megzsírozott és zsemlemorzsával meghintett réteslapokra.

Mákos réteshez töltelék: 25 g vaníliás cukor, 2 tojás, 1 evőkanál liszt, 1/2 citrom héja reszelve, 6 evőkanál vaj, 1 csésze forró tej, 150 g darált mák, 50 g mazsola, 1 alma meghámozva, megtisztítva, reszelten.

A tojások sárgáját a vaníliás cukorral simára keverjük. Hozzáadjuk a lisztet, citromhéjreszeléket, a vajat, végül a meleg tejet. Tegyük fel gyenge lángra, s mikor felforrósodott, adjuk hozzá a darált mákot. Mikor ismét forrni kezd, vegyük le a tűzhelyről és hagyjuk lehűlni. A lehűlt töltelékbe keverjük bele a mazsolát és a reszelt almát. A tojások fehérjét verjük kemény habbá és adjuk ezt is a töltelékhez. A réteslapok megtöltése az előbbiek szerint.

Diós réteshez töltelék: Mint a mákos rétesnél, de mák helyett 150 g darált dióbelet adunk hozzá.

evenly all over it. Roll it up into a roulade with the help of the table cloth brushing the top with lard again. Cut the roulade into pieces the length of a baking tin and place them into one rubbed with lard. Place it into a preheated oven and bake it in a moderate oven for about 30-35 minutes. In the last few minutes direct the heat in the oven so that the top is browned.

Curd cheese strudel filling: 3 tablespoons castor sugar, 50 gm/2 oz butter, 3 eggs, 300 gm/11 oz curd cheese, 2 tablespoons milk, 1 tablespoon flour, 50 gm/2 oz raisins

Mix the castor sugar with the butter, add the yolks of the eggs and stir until smooth. Add the curd cheese, the milk, the flour and the raisins, finally fold in the beaten whites of the eggs.

Apple strudel filling: 1 kg/2 lb apples, peeled cored and grated, 50 gm/2 oz chopped walnuts, 50 gm/2 oz raisins, 30 gm / 1 1/4 oz sugar, 1 tablespoon ground cinnamon, 2 tablespoons butter, 1 tablespoon white breadcrumbs, 1 teaspoon lard. Mix the apples with the walnuts, raisins, sugar and cinnamon. Add the melted butter and mix well. Spread the filling on the pastry brushed with lard and sprinkled with breadcrumbs.

Poppy-sees strudel filling: 25 gm/1 oz vanilla sugar, 2 eggs, 1 tablespoon flour, grated peel of 1/2 lemon, 6 tablespoons butter, 1 cup hot milk, 150 gm/5 oz ground poppyseed, 50 gm/2 oz raisins, 1 apple, peeled, cored and grated

Mix the egg yolks with the vanilla sugar in a pan and stir until smooth. Add the flour, the lemon peel and finally the hot milk. Heat in on a moderate flame then add the ground poppy-seed. Bring it to the boil again, take it off the heat and let it cool. Mix in the raisins and the apples. Fold in the beaten egg whites. Fill the pastry with it as described above.

Walnut strudel filling: See recipe for mákosrétes but use 150 gm/5 oz ground walnuts instead of the poppy-seed.

A Dunántúl: tájak, városok, ízek

Északról és keletről a Duna, délről a Dráva, nyugat felől az Alpok nyúlványai határolják a dimbes-dombos, táji szépségekben gazdag Dunántúlt. Arculata ugyanolyan változatos, mint kosztja, amelyet más-másféle helyi hagyományokon alapuló főzésmódok, fogások jellemeznek. A Dunántúl közepén húzódó Balaton — Közép-Európa legnagyobb tava — nyaranta 25°C-ra felmelegedő, kellemes, lágy vizével nemcsak a fürdőzők, nyaralók Mekkája, hanem az ínyenceké is. Remek halai közül a fehér húsú fogas — amelyet ifjú korában süllőnek hívnak — pirosra sütve, felfelé kunkorodó fejjel-farokkal jelenik meg a tálon; a balatoni ebédek-vacsorák parádés főfogása. Ám a harcsa sem alábbvaló, különösen, ha tejfellel és paprikával fűszerezve kerül asztalra: kellemesen pikáns ízével igen jó ágyat vet a bornak, akárcsak a balatoni ponty, amely különösen rántva, savanyúsággal körítve finom. A tó északi partját vulkáni eredetű dombok szegélyezik: szelíd szőlőhegyek, oldalukban présházakkal, nyaralókkal, rajtuk a római időktől fogva remek borok teremnek. Az elegáns, finom bukéjú Badacsonyi Kéknyelű a legjobb magyar fehérborok egyike, a Tihanyi Zweigelt, a Pinot Noir a testes, tüzes vörösborok közt foglal el előkelő helyet. A szőlőhegyeken túl a Bakony-hegység erdőségei húzódnak, bennük, a Balatontól néhány kilométerre fekvő rejtett völgyekben, hegyi utak mentén a hajdani betyárcsárdák találhatók. Hajdan "szegénylegények" mulatóhelyei voltak — napjainkban némelyik az ínyencek tanyá-

Transdanubia: The Region, Its Towns and Flavours

Transdanubia, with its rolling hills and scenic beauty is bordered by the river Danube to the North and East, by the river Dráva to the South and by the foothills of the Alps to the West. The region's appearance is as varied as the food it produces; different local traditions affect the ways of cooking and the dishes of a given area. Lake Balaton, the largest lake in Central Europe lies in the centre of Transdanubia. Its soft, pleasant waters are as warm as 25 C in summer and the lake is the Mecca of bathers and holiday-makers as well as of gourmets. Its finest perch-pike type of fish is the white fleshed fogas, which we call süllő when it is young. It is roasted and served whole in an attractive curved shape as an elegant main course for lunch or dinner at Lake Balaton. Nor is harcsa (sheatfish) inferior especially when prepared with sour cream and paprika. With its pleasantly piquant taste, it whets your appetite for wine, just like the carp of Balaton, which is best when fried in breadcrumbs and served with pickles. The northern shore of the lake is lined with volcanic hills, vineyards, wine presses and summer houses; it has been a wine producing area since Roman times. The elegant Badacsonyi Kéknyelű has a fine bouquet and is one of the best Hungarian white wines; Tihanyi Zwigelt and Pinot Noir both stand high among full-bodied red wines. Beyond the vineyards the forests of the Bakony mountains stretch, and in hidden valleys, only a few kilometres from

ja. Balatoni fogásokat találni bennük – és múltat idéző, romantikus emlékeket. Olyan fogásokat, mint a füstölt oldalassal főzött, tejfellel behabart lencseleves, amelyet "Jóska kedvencének" neveznek, mert az egyik bakonyi betyár, Savanyú Jóska kedvenc étele volt, vagy a rozmaringos "vasalt csirke" – az olasz ördögcsirke (pollo al diavolo) távoli pannóniai változata, amit faszénparázson úgy sütnek ki, hogy miközben a roston pirul, felülről tüzes vasalót szorítanak rá. És persze a gombás ételek minden változatban, e gombákban gazdag vidéken: petrezselyemzöldjével, paradicsommal, borssal, pirospaprikával ízesített gombaleves, szőlőlevélben párolt gombák, egészen a bakonyi sertésbordáig, amely gombának, tejfelnek, pirospaprikának köszönheti finom ízeit.

Elhagyva a Balatont, emlékeket őrző patinás városokba jutunk a Dunántúl nyugati részeiben. Sopron és Szombathely elődei abban a korban fejlődtek jelentős városokká, amikor a mai Magyarország e része a Római Birodalom tartománya volt. Sopron római őse, Scarbantia, márványpalotákkal, amfiteátrummal ékes város volt a "Borostyánkőút" mentén, amely Európa északi országaival kapcsolta össze Itáliát. Szombathely elődét, Savariát, Claudius császár parancsára fejlesztették fontos várossá, még császárt is választottak falai között: Septimius Severust, aki a dunai tartomány kormányzója volt addig. A két város ódon kövei láttán szemünk előtt ötvöződnek egybe az évszázadok: a soproni várostorony alapzatául római kőtömbök szolgálnak, melyeket az első magyar királyok, az Árpád-ház korában raktak le. Fölöttük román stílusú kőtömbök, amit később a reneszánsz jegyében építettek tovább. Legfelöl barokk felsőrész, árkádos erkélyéről napjainkban is, mint sok évszázad óta mindig – időnként megszólal a toronyzene. A történelmi stílusok ötvöződéséhez hasonlóan olvadnak össze sajátos, harmonikus ízvilágban a sokfelől érkező főzési hagyományok is e "nyugati végeken". Sopron hagyományos

72

the lake, along the roads you come across the old-time inns called betyárcsárda, which used to be the nest of outlaws (betyár); some are now frequented by gourmets. They serve the typical dishes of the Balaton region, and are full of sentimental memories reviving the past. The dishes range from Jóska's Favourite, a lentil soup made with smoked pork and thickened with sour cream – it used to be the favourite of one of the Bakony outlaws called Jóska Savanyú, hence the name – the Ironed Chicken with Rosemary, which is a Hungarianised version of the Italian Pollo al diavolo (Devilled chicken); this is made over charcoal embers in such a way that while it is being browned a red-hot iron is pressed onto it from top. And, of course, you can find every possible kind of mushroom dish as the area is so rich in mushrooms – mushroom soup prepared with parsley, tomatoes, black pepper and paprika, or mushrooms cooked in vine leaves, or even Bakony Pork Ribs, delicately flavoured with mushrooms, sour cream and paprika.

Leaving Lake Balaton behind, we arrive in historic towns in western Transdanubia all redolent of old times. Important towns developed on the sites of Sopron and Szombathely in the times when this part of Hungary was a province of the Roman Empire. Roman Sopron, called Scarabantia, was a flourishing town with marble palaces and an amphitheatre along the Amber Road which connected the countries of northern Europe with Italy. Ancient Szombathely, Savaria, was developed into an important town on the orders of Claudius; a new emperor was even elected within its walls, Septimus Severus, who up to then had been the governor of the province. The ancient stones of the two towns seem to unite the centuries in front of our eyes; the foundation of the Tower of Sopron is made of Roman stone blocks put down in the time of the first Hungarian kings, the Árpád dynasty. Above them

bortermelő vidék. Híres vörösborát, a Kékfrankost, császári pátens alapján szállította Bécsbe hajdan – ám a soproniak idővel rájöttek arra is, hogy kiváló minőségű babot tudnak termelni a szőlősorok között. Így lettek a soproni polgárok "poncihterek" (a Bohnenzüchter – babtermelő szóból) és így vált a jó ízű bab számos soproni fogás alapanyagává, a babsalátától a babstercen keresztül a bab-rétesig.

Szombathely Szent Mártonnak, a gallok keresztény hitre térítőjének szülőhelye a legenda szerint (bár a teljes igazsághoz tartozik, hogy egy másik legenda szerint a mai Pannonhalma közelében született volna) – így nem meglepő, hogy Szombathely remek libatorok színhelye. Finom húsú, nagy májú libákat tenyésztenek a Dunántúl e részében, kiválóságuk alighanem annak köszönhető, hogy a tenyésztők remek fajtákat hoztak létre az idők folyamán, s hogy a kukoricával való "tömés" következtében az állatok mája megnagyobbodik. A csigatésztával dúsított libaaprólék leves, a saját zsírjában sült libapecsenye, a majorannával, fokhagymával, borssal, vöröshagymával együtt sütött libamáj, a darált libahúsból készült, ropogós-pirosra sütött libakolbász csak néhány kiragadott példája a remek libaételeknek.

Enyhén pikáns ízek, mértékletes fűszerezés jellemzik a nyugatmagyarországi városok konyháját. Alighanem része van benne a stájer és szlovén szomszédok hatásának is. Ámde létezik egy másféle, fűszeresebb, markánsabb ízeket kedvelő főzésmód is Nyugat-Magyarországon – az úgynevezett "vasi" régióban. Vasvármegye – amelynek nevéből a "vasi" jelző származik – eredetileg vasércbányáitól kapta nevét. Vasat már sok-sok nemzedék óta nem termelnek Vas megyében, ám a jelző megmaradt napjainkig, s leggyakrabban egy "vasi pecsenyének" nevezett fogás kapcsán jelenik meg az étlapokon. Az egész vasi főzésmódra jellemző, ahogyan e fűszeres, ízletes pecsenye készül: a sertéshússzeleteket fokhagymás-tejes páclében áztatják, majd paprikás

are Romanesque blocks which were later continued in Renaissance style. The top part of the Tower is Baroque, and from the arched balcony music can sometimes be heard, just as it has been for centuries. In keeping with this alloy of historic periods, cooking traditions of various origins are also combined in harmony in the west of Hungary. Sopron is traditionally a wine-producing area. Its famous red wine, Kékfrankos used to be sent to Vienna by personal command of the Emperor. The people of Sopron also found out that they could grow first class beans between the rows of vines. This is how the people of Sopron earned their nick-name poncichter (the word is a corruption of the German Bohnenzüchter, bean-grower) and this is how beans have become an important ingredient of many Sopron dishes, such as Bean Salad, Bean Sterc and Bean Strudel.

Szombathely is believed to be the birthplace of St Martin, who converted the Gauls to Christianity (although it has to be added that another legend has it that he was born near Pannonhalma). So it is not surprising that Szombathely is the setting for great goose-feasts. The geese bred in this region have both tasty flesh and large livers, which can probably be explained by the successful breeding and by feeding them with maize to make their livers larger. The soup cooked from goose giblets and made richer with curly dry pasta, goose fried in its own fat, goose liver fried with marjoram, garlic, black pepper and onions, goose sausages fried until crispy red are just some examples, chosen at random, of the delicious dishes that goose is the main ingredient of.

Slightly piquant flavours and moderate spicing are typical of the cooking of western Hungarian towns. Presumably this shows the influence of the neighbourging Styrians and Slovenes. But in the west of Hungary there exists a different style in cooking too, which favours spicier, sharper tastes and it can be found in Vas county. The

lisztben megforgatják, s forró zsiradékban mindkét oldalán szép pirosra megsütik. Méltó párja a tejfellel dúsított omlettel töltött "vasi" tojásos rétes is, ami után a hideg sör feltűnően jól csúszik.

A Dunántúl déli részében fekvő Pécs városában első benyomásként a színek gazdagsága érinti meg az embert: mintha a város maga is tükrözni szeretné a környező szelíd hegyek, ligetes tájak dús színeit. A város központjában a dzsámi keleties színfoltja: a török templom változatlan színekben és formában vészelte át az idők viharait, csupán a kupolájának tetején lévő kereszt jelzi, hogy keresztény templom lett a török hódoltság után. A dzsámi szomszédságában lévő Zsolnay-kút egy másik korszak színvilágát idézi: a századfordulóét, s vele a szecesszióét. Készítőjét, Zsolnay Vilmost, a fajanszkészítés pécsi mesterét, az *art nouveau* színei, formái inspirálták. S a színek kavalkádja ezután is folytatódik: Csontváry Tivadar festményei az ezeregyéjszaka mesevilágának színeivel fogadnak a Janus Pannonius múzeumban, a Vasarely-gyűjtemény színeit is Pécs ihlette, hiszen a Franciaországban világhírűvé lett mester Pécsett született, itt töltötte ifjúságának éveit.

Pécs négytornyú székesegyházát csaknem egy évezreden keresztül építgették, formálgatták az egymást követő nemzedékek. Szent István idejében, a 11. században rakták le alapjait, visszahagyta rajta stílusjegyeit a román kor, a gótika, a reneszánsz, ámde mindez a színek és formák sajátos egységévé ötvöződik. Alighanem e sokféleségből alakult harmónia jellemzi leginkább Pécset, hiszen nemcsak a történelmi korok váltakozása formálta a várost, hanem az egymás mellett élő népek sokszínű együttese is: magyarok, németek, sokácok, rácok élnek itt együtt sok évszázad óta és mindegyik nemzetiség rányomta az egész környék életére, arculatára saját jegyeit. Aligha meglepő ezek után, hogy a délvidék ételeit is a magyar–német–délszláv hatásokból eredő sokszínűség jellemzi. A Tettye-patak mellett emelke-

76

county originally got its name from the mines there *(vas* means "iron" in Hungarian). Iron has not been produced in Vas county for generations now but the name of the county still often appears on menus with a dish called *vasi pecsenye*. The way this spicy meat dish is made is typical of the cooking of Vas county: pork chops are marinated in garlic and milk then dipped into a paprika-flour mixture and fried in hot oil on both sides. And equally tasty dish from the Vas region is egg strudel, filled with an omlette mixed with sour cream – this is a dish after which cold beer goes down remarkably easily.

Pécs, in the south of Transdanubia, strikes the visitor with its sheer colour – as if the city wished to reflect the rich rues of the neighbouring hills and groves. In the city centre, the mosque adds a patch of eastern colour. This Turkish place of worship survived the storms of history, retaining its original forms and colours; the cross on top of the dome is the only sign that it became a Christian church after the end of the Turkish occupation. Not far from the mosque the Zsolnay fountain presents another palette, that of the turn of the century and of Secessionism. Its manufacturer, Vilmos Zsolnay, the great master of porcelain in Pécs, was inspired by the colours and forms of Art Nouveau. Nor is this the end of the whirl of colours; in the Janus Pannonius Museum, the paintings of Tivadar Csontváry bring the visitor into the world of the thousand and one nights; the Vasarely collection was also inspired by the town of Pécs, as the artist who achieved world fame in France was born and grew up here.

The Cathedral with its four spires took almost a thousand years to build to perfection. The foundations were laid in the 11th century, in the time of King Stephen I, and although features were left on the building by Romanesque, Gothic and Renaissance times, all these colours and forms meld in a special unity. This kind of harmony of

dő dombon a sváb főzési szokásokkal ismerkedhet az ember: a "toroslevessel", amibe a disznó szívét-tüdejét-máját főzik bele disznótorok idején, a babos káposztával, aminek a füstölt csülök ad finom ízt, melléje knédlit adnak. Találkozhat errefelé kuglóffal is, amit tejeskávé vagy kakaó mellé fogyasztanak délutánonként a környék idős polgárai. A tubesi töltött pecsenye a déli hatásokat példázza: babérlevél és vörösbor illata lengedez a tál felől, amelyben a töltött hátszínszeleteket asztalra adják. Amihez még hozzá kell tenni, hogy a májas-gombás töltelék, ami a pecsenyében rejtőzik, illatával a sütés előtt ráhintett majorannát idézi. A magaros ízek persze mindenütt jelenvalók. Egy jóféle pörkölt, paprikás halászlé nem hiányzik a sváb, a sokác, a rác konyhából sem. Annál kevésbé, mivel a dél-dunántúli magyar konyhának különösen finom, karakteres fogásai vannak. Olyan, mint például a velőderelyeleves, ami tejfellel besűrített pikáns zöldségleves, benne marhavelőből, zsemlebélből, apróra vágott vöröshagymából készült, sóval-borssal fűszerezett derelyékkel. Vagy a "Tenkes kedvence", amely a hajdani magyar Robin Hood emlékét őrzi – a Habsburg-zsoldosok ellen hadakozó vidám és furfangos hősét, aki nemcsak a csatákban vitézkedett, hanem az asztal körül is. A Tenkes kapitányának nevezték, népszerű televíziós filmsorozat készült róla – kedvenc ételének receptjét is megőrizte az emlékezet. Boros-mustáros-olajos lében pácolt marhabélszínből készül, amire pirított vöröshagymából, májból, gombából, tojásból készült réteget borítanak, majd egy sertészelet kerül legfelülre, úgy sütik ki az egészet, szép pirosra.

Magyaros tésztákban, desszertekben sincs hiány errefelé: a mecseki gömbpalacsintát említjük példaként, amely már küllemében is rendkívüli. Mikor megjelenik az asztalon, nehéz eldönteni, hogy egy mesebeli dinnyéhez hasonlít-e leginkább vagy egy sündisznóhoz, mígnem kiderül, hogy rumos-diós krémmel töltött palacsinták együttese,

78

a variety of styles is what typifies Pécs. The city developed over various periods and under the influence of various ethnic groups in the area. Hungarian, German, Styrian and Serbian people have been living here for many centuries and all have left mark on the life and the features of the area. So it is hardly surprising that the gastronomy of the South also shows Hungarian, German and Southern Slav influences. On the hill that rises up from the Tettye-brook the cooking is Sváb, the name given to German settlers. Typical dishes are a soup made from the pig's hart, lungs and liver when the pig is slaughtered, a bean and cabbage dish to which the added smoked trotters give a richer flavour and which is served with a kind of dumpling. The older people in the area enjoy a slice of a plain cake called *kuglóf* with their afternoon coffee or hot chocolate. The Tubes stuffed rumpsteak is a good example of southern influences, hinted at by the smell of bayleaf and red wine that comes from the plate it is served on. The stuffing is made from liver and mushrooms and seasoned with marjoram. Naturally, the Hungarian flavours are present everywhere. A good stew, a paprikás dish, or a fisherman's soup is no stranger to Sváb, Sokac or Serbian kitchens either. The Hungarian dishes of the region are especially tasty and have their own character. Their speciality is a soup called velőderelyés or narrowpockets soup, a piquant vegetable soup thickened with sour cream and served with pockets of pastry filled with beef marrow mixed with bread soaked in milk, finely chopped onions, salt and pepper. Another dish is Tenkes's favourite, named after the Hungarian Robin Hood, a hero who fought against the Habsburg mercenary troops. He was a hero at the table as well as in battle. He was nicknamed the Captain of the Tenkes mountains and was the subject of a popular TV series. His favourite food has also gone down in history. It is prepared from sirloin of beef marinated in

amelyet ügyesen úgy állítottak össze, hogy félgömb alakot formáz. A palacsinta-domborulatra vanília krémet kennek, majd vágott mandulával meghintik, s hogy még finomabb legyen, illatos hegyi füvekből párolt Mecseki itókával – egy helyi likőrrel – locsolják meg a legvégén, méghozzá bőségesen!

A legenda szerint a Dunántúl déli részén – Baranyában – élt hajdanában egy bizonyos Bor nevű vitéz, aki szőlőtermesztésre, borkészítésre igyekezett rászoktatni a régi magyarokat. Bor vitéz – így tartja a néphit – minden évben elment Pusztaszerre, ahol az első országgyűléseket tartották, s ott borral kínálgatta a jelenlévőket, majd szőlővesszőket is adott nekik, ráadásul. Ám bort csak egy ízben adott mindenkinek. Bármennyire kérte is, következőleg azt mondotta: a többit most már termelje meg saját maga. Mivel a bor igencsak ízlett, a magyarok rákaptak a szőlőmívelésre. Bor vitéz végül is elérte célját: Magyarország minden részében bor terem.

Nyilván nem véletlenül képzeli a meseszövő fantázia a termékeny Dél-Magyarország vidékére Bor vitéz szülőházát. A római időktől fogva termesztik a szőlőt, készítik a jó borokat errefelé. Napjainkban kevés vörösbor veheti fel a versenyt a Villány környékén termeltekkel: a nagy termőerejű talaj, a napfényben gazdag klíma, a kiváló szőlőfajták remek borokat eredményeznek. A testes, tüzes Villányi Burgundi, a sima, kellemesen fanyarkás Villányi Cabernet, a kerek, harmonikus Villányi Zweigelt a legjobb magyar vörösborok közé tartozik.

Amint ez másutt is megtörténik, a kiváló helyi borok nemcsak innivalóul szolgálnak Villány környékén, hanem belejátszanak a főzésbe is. Az ételek különösen finom ízt, aromát kapnak a villányi boroktól – kiváltképpen akkor, ha mindegyik fogás elkészítéséhez az éppen hozzáillő bort választják. Így a pincepörkölthöz a villányi oportó illik, amely testes, gazdag bukéjú száraz bor lévén éppen a kellő íz-

84. oldal
p. 85

Lencseleves füstölt
oldalassal

Lentil soup

86. oldal
p. 87

Nádasdy
húsgombócleves

Nádasdy meatball
soup

90. oldal
p. 91

Rozsdás bélszín
kőszegi módra

"Rusty" steak Kőszeg
style

90. oldal
p. 91

Tenkes kedvence
Tenkes's favourite

96. oldal
p. 97

Erdészgombóc
Forester's dumplings

98. oldal
p. 99

Túrós pogácsa
Curd cheese scones

100. oldal
p. 101

Mecseki
gömbpalacsinta
Mecsek ball pancake

wine, mustard and oil. The beef is covered with a layer of fried onions, liver, mushrooms and eggs, then with a slice of pork and fried to golden brown colour.

The area is not lacking Hungarian pastries and desserts either. An example is the Mecsek Ball Pancake, which is extraordinary even in its appearance. When it is served on the table it is difficult to decide if it resembles a magic melon or a hedgehog. Then it turns out to be a pile of pancakes with a filling made of grated walnuts cooked in milk and rum, formed into a ball shape. This pancake heap is covered with vanilla cream, sprinkled with chopped almonds and topped off with a generous dash of a local liquor, called Mecseki itóka.

Legend has it that in the south of Transdanubia, in Baranya county, there once lived a certain hero called Bor Vitéz, the Wine Varrior, who tried to teach the ancient Hungarians to cultivate vineyards and make wine. The Wine Warrior, according to folkbeliefs, visited the town of Pusztaszer every year, where the first parliaments were held and offered wine to the people who were there, giving them vine-branches, too. But he gave them wine only once. However much they asked him to give them more he told them to produce it themselves. As the people liked wine a lot, they took to wine-growing. He eventually reached his goal: wine is produced all over Hungary.

It is not by chance that the fantasy of folk tales made the fertile southern soil of Hungary into the homeland of the Bor Vitéz. Wine has been grown and good wine produced here since Roman times. Only a few red wines can compete with those from the Villány region. The rich soil, the sunny climate and the good types of grapes make for excellent wines. The full-bodies Villányi Burgundy, the smooth and pleasantly tart Villányi Cabernet and the rounded, harmonious Villányi Zweigelt all rank high among Hungarian red wines.

hatást adja. A villányi pincepörkölt a borospince előtti térségen, szabadtűzön, bográcsban készül. Többféle húsnem szükséges hozzá: marhalábszár, kicsontozott sertéscsülök, darabolt sertéshús, sertéslapocka. Ezeken kívül burgonya, vöröshagyma, zöldpaprika, paradicsom is jár belé, továbbá só és csípős, valamint édesnemes paprika (az előbbiből valamivel kevesebb, az utóbbiból több), zsiradék és villányi oportói vörösbor.

A pincepörkölt készítése a hagyományos módon történik, csupán annyi a "rendhagyó" benne, hogy a forró zsírban pirított hagymához, paprikához részletekben adják hozzá a húsokat: először a marhahúst, aztán a sertéslábat, végül a csülköt, sertéslapockát. A vége felé kerül hozzá a burgonya, legvégül öntik belé a bort. A "titok", amit Villányban tud meg az ember: hogy a pincepörköltet nem szabad kavarni. Magában fő, forrdogál, míg megpuhul a bográcsban minden. Legfeljebb megrázni szabad időnként.

Egy másik villányi "boros" fogás a szüretelő pecsenye, amit eredeti rendeltetése szerint szüret befejeztekor szoktak készíteni, de olyan finom fogás, hogy az emberek elcsábulnak és elkészítik máskor, a szürettől függetlenül is. Lényegében marha hátszín szelet, amit darált sertéshúsból, párolt gombából, füstölt szalonnából és más finomságokból álló töltelékkel töltenek meg, elősütik, megpárolják, majd a pecsenyeléből villányi vörösborral – cabernet-vel – megöntözve, barna mártást készítenek. A vörösbor semmi máshoz nem hasonlítható "villányi" ízzel teszi teljessé a remek fogást.

As elsewhere, local wines are not just drunk in the Villány region but they also play a part in local cooking. If you choose the right wine to prepare a particular dish, the food will be especially flavoursome. To make Cellar Stew, Villányi Oportó is best; as a full-bodied, rich red wine, it ensures the right effect. The Villány Cellar Stew is prepared in a cauldron over an open fire just outside the wine cellar. Various meats are used for this dish, shin or flank of beef, boned pig's trotters, chopped pork and more of the latter. The right wine to cook this dish with is Villányi Oportó.

Cellar Stew is prepared like any other stew, the trick being that the various meats are added to the fried onions in a strict order: first the beef, then the pork, then come the trotters and the shoulder. When the meat is almost tender the potatoes are added and, at the very end, the wine. The secret of the Villány Cellar Stew is that it must not be stirred. It is cooked slowly until everything is tender, and is only shaken from time to time.

Another dish cooked with wine is Harvester's Roast, which, as its name shows, was usually prepared when the grape picking was over. However, it is so tasty that people are tempted to make it at other times as well. It is basically a slice of rumpsteak stuffed with a mixture of minced pork, sautéed mushrooms, smoked bacon and other delicacies. It is then sautéed, braised and served with a brown sauce made from the pan residues and Villányi Cabernet. This magnificent dish gets its true Villány taste from the red wine.

DUNÁNTÚLI ÉTELEK

Lencseleves

Hozzávalók: *400 g füstölt oldalas, 250 g lencse, 2 babérlevél, 2 gerezd fokhagyma, 300 g tejfel, 30 g liszt, só, törött bors, ecet vagy citromlé.*

A lencsét kiválogatjuk, langyos vízbe beáztatjuk. A füstölt oldalast feldaraboljuk, ugyancsak beáztatjuk. Másnapig állni hagyjuk. Elkészítéskor feltesszük főni az oldalast hideg vízben, mikor félig megfőtt, a lencsét is hozzáadjuk. A fazékba tesszük a fokhagymát, a babérleveleket is és fedő alatt főzzük, amíg minden jól megpuhul.

A tejfelbe belekeverjük a lisztet, amikor már jó simára elkevertük, hozzáadjuk a leveshez és tovább főzzük. Mikor az egész összefőtt, kivesszük a levesből a babérlevelet és a fokhagymát, ízesítjük ecettel, ha kell sóval, hozzáadunk egy kis törött borsot. Melegen tálaljuk.

Velőderelye leves

Hozzávalók: *1 kg velős csont, 150 g sárgarépa, 150 g gyökér, 100 g zeller, 100 g karfiol, 100 g zöldborsó, só, őrölt bors, 100 g tejfel, 1 csomag petrezselyemzöldje, 100 g liszt, 1 tojás, 200 g sertésvelő, 100 g vöröshagyma, 8 g zsiradék, 100 g tej, 1 zsemle.*

A zöldségeket megtisztítjuk, felvágjuk kis darabokra, majd megforrósított zsiradékban a feldarabolt hagymával együtt kissé megpirítjuk. Meghintjük liszttel, majd felengedjük vízzel, ízlés szerint sózzuk. Mikor átfőtt, liszttel elkevert tejfellel behabarjuk.

RECIPES

Lentil soup

400 gm/ 1 lb smoked pork ribs separated, 250 gm/ 9 oz lentils, 2 bayleaves, 2 cloves garlic, 300 gm/1 3/4 lb sour cream, 30 gm/ 1 oz flour, salt, pepper/ground black pepper/, vinegar or lemon juice,

Pick over the lentils and soak overnight in luke-warm water. Soak the ribs in another dish. Put the ribs into cold water to cook. Add the lentils when the ribs are half tender. Flavour with the garlic and bay leaves, cover and simmer until all ingredients are cooked. Mix the flour into the sour cream, stir in a little soup and pour into the pot and bring the whole to the boil again. Take out the bayleaves and the garlic, flavour with vinegar, a little salt and pepper to taste. Serve hot.

Sweetbread pockets soup

1 kg/2 lb marrow bones, 150 gm/ 5 oz carrots, cut into rounds, 150 gm/ 5 oz parsnips, cut into rounds, 100 gm/ 4 oz celeriac, diced, 100 gm/ 4 oz cauliflower, broken into flowerettes, 100 gm/ 4 oz green peas, salt, ground black pepper, 100 gm/4 oz sour cream, handful of parsley, finely chopped, 100 gm/4 oz flour, 1 egg, 200 gm/7 oz pork sweetbreads, 100 gm/4 oz Spanish onions, chopped, 8 gm/ 1/2 oz lard, 100 gm/4 oz sour cream, slice of white bread

Heat the lard in a pan and sautée the onions, Add the vegetables and brown them together for some minutes. Sprinkle with half of the flour then add the water to make a

85

A velőderelye készítése: a velőt lehártyázzuk, majd finomra vágjuk. A zsemlét tejben áztatjuk, kicsavarjuk, majd tojást adunk hozzá és az egészet összedolgozzuk. Derelyetésztát készítünk, (l. 60. old.) amelyet 2-3 mm vastagságra kinyújtunk és középnagyságú kockákra vágunk. A borssal, sóval fűszerezett töltelékmasszát az előkészített tésztába töltjük. Sós vizet forralunk, a derelyéket ebben kifőzzük, mikor jól átfőttek, a tejfeles zöldséglevessel melegen tálaljuk.

Nádasdy húsgombócleves

Hozzávalók: *1 kg marhacsont, 600 g darált sertéshús, 500 g vegyes zöldség, 200 g zeller, 250 g rizs, 2 tojás, 50 g liszt, pirospaprika, só, őrölt bors ízlés szerint, 1 gerezd fokhagyma, 1 evőkanál zsiradék.*

A csontot megmossuk, feltesszük főni hideg vízben, habját főzés közben leszedjük. Felvágjuk kockákra a vegyes zöldséget és a zellert, kevés zsiradékban megpirítjuk, sózzuk, paprikázzuk, majd hozzáadjuk a csontléhez. Addig főzzük, míg a zöldség megpuhul, akkor a csontot kiszedjük a léből.

Eközben elkészítjük a gombócnakvalót: a rizst zsiradékon megpirítjuk, hozzáadunk egy kevés vizet és gyengén megpároljuk. Az ily módon előkészített rizst összedolgozzuk a hússal és a tojásokkal. Sóval, törött borssal, apróra vágott fokhagymával ízesítjük, majd a masszából kis gombócokat formázunk. Ezeket a forró levesbe tesszük és addig hagyjuk főni, amíg a gombócok alaposan átfőnek. A levest tálba öntjük, apróra vágott petrezselyemzöldjével meghintjük és forrón tálaljuk.

soup and salt to taste. Cook until the vegetables are tender then thicken with sour cream mixed with the rest of the flour.

For the sweetbread pockets, remove the membrane of the sweetbread and chop finely. Soak the bread in a little milk, squeeze out the liquid with your hands, mix it with the egg and half of the parsley. Work together well, salt and pepper to taste.

Make derelye pastry (see p. 61.), roll it out to 2-3 mm (1/8 inch) thickness and cut it into squares of about 3x3 cm (1x1 inch). Put a teaspoon of the filling on each square, cover with another square of pastry and press the edges together, to make the pockets. Cook them in salted boiling water, and serve with the vegetable soup.

Nádasdy meatball soup

1 kg/ 2 lb beef bones, 600 gm/ 1 1/3 lb minced pork, 500 gm/ 1 lb 2 oz soup vegetables, diced, 200 gm/ 7 oz celeriac, diced, 250 gm/ 9 oz rice, 2 eggs, 50 gm/5 oz flour, paprika, salt, ground black pepper, 1 clove garlic, crushed, 1 tablespoon lard, handful of parsley, chopped

Wash the bones and put them into cold water to cook. Skim the liquid from time to time. Sautée the vegetables and the celeriac in half of the lard, season with salt and paprika and add to the soup. When the vegetables are cooked, remove the bones from the pot. Meanwhile prepare the meat balls. Sautée the rice in the rest of the lard, add a little water and simmer until almost cooked. Work the rice together with the meat and the eggs. Flavour with salt, pepper and garlic and form small balls of the mixture with wet hands. Cook them in the hot soup until tender. Serve the soup hot in a tureen, sprinkled with parsley.

Gombával töltött süllő

Hozzávalók: *kb. 1 kg súlyú süllő, 1 fej vöröshagyma, 400 g gomba, 100 g zsiradék (vaj vagy olaj), 1 csokor petrezselyemzöldje, só és őrölt szerecsendió ízlés szerint.*

A halat megtisztítjuk, megmossuk, sóval meghintjük és állni hagyjuk körülbelül egy óra hosszat. A vöröshagymát apróra vágjuk és zsiradékban megpároljuk, amíg üveges lesz. Közben a megmosott gombát felvágjuk vékony szeletekre, majd a zsiradékban lévő hagymához adjuk. Hozzátesszük a petrezselyemzöldjét is finomra vágva, sóval, szerecsendióval ízesítjük és az egészet megpirítjuk.

A gombás tölteléket a hal felvágott hasüregébe tömjük, majd hústűvel összetűzzük. Az ily módon előkészített halat vajjal vagy olajjal kikent tepsibe tesszük, ráöntjük a maradék zsiradékot és a tepsit befedve, előmelegített sütőbe tesszük. Körülbelül fél óráig párolódik alufólia borítás alatt a hal, akkor levesszük róla a fóliát és erősebb lángon szép színűre pirítjuk. Frissen sütve tálaljuk.

Bozsoki töltött szűzpecsenye

Hozzávalók: *800 g szűzpecsenye, 400 g sertéshús, 100 g gomba, 3 evőkanál zsiradék, 1 evőkanál paradicsompüré, fokhagyma, törött bors, pirospaprika, só ízlés szerint.*

A szűzpecsenyét felvágjuk és kettényitjuk, kiklopfoljuk, megsózzuk. A sertéshúst ledaráljuk, törött borssal, fokhagymával, pirospaprikával, sóval fűszerezzük, majd a darált húshoz adjuk a felaprózott gombát is. Ezt a masszát betöltjük a felnyitott szűzpecsenyékbe, amelyeket ezután

Stuffed süllő with mushrooms

1 süllő of 1 kg/ 2 lb, scaled and washed, 1 Spanish onion, finely chopped, 400 gm/ 14 oz mushrooms, thinly sliced, 100 gm/ 4 oz lard, oil or butter, handful of parsley, finely chopped, salt, ground nutmeg

Salt the fish and set it aside for about an hour. Sautée the onion in the lard until transparent. Add the mushrooms and the parsley. Flavour with salt and nutmeg to taste and sautée together. Stuff the fish with the mushroom mixture and hold it together with a skewer. Place the fish in a baking tin rubbed with butter or oil, pouring the rest of the fat on top of the fish. Cover the baking tin with aluminium foil and place it into a preheated oven. Bake for aobut half an hour then remove the aluminium foil and roast until golden brown. Serve hot.

Stuffed fillet mignon of pork Bozsok style

800 gm/ 1 3/4 lb fillet mignon of pork , 400 gm/ 14 oz minced pork, 100 gm/ 4 oz mushrooms, chopped, 3 tablespoons lard, 1 tablesboon tomato purée, 1 clove garlic, crushed, ground back pepper, paprika, salt

Split the fillet down the middle, flatten and salt it. Mix the pork with pepper, garlic, paprika and salt then add the mushrooms. Stuff the fillet with this mixture, secure with skewers. Heat the lard, add a little water and simmer the meat under cover until tender. Before serving, slice the fillet. Make a sauce from the gravy, thickening it with the tomato purée mixed with a little flour. Season to taste, bring it to the boil again and pour over the slices of meat. Serve with mashed potatoes with sautéed onions.

hústűvel megtűzünk. Zsiradékon és egy kevés vizen a szűz-
pecsenyéket fedő alatt puhára pároljuk. Tálalás előtt a hú-
sokat felszeleteljük, majd elkészítjük a mártást oly módon,
hogy a pecsenye levét paradicsompürével és egy kevés liszt-
tel besűrítjük. Utána fűszerezzük ízlés szerint, hagyjuk
egyet forrni, majd a hússzeletekre öntjük. Hagymás tört
burgonyát adunk melléje.

Rozsdás bélszín kőszegi módra

Hozzávalók: *4 szelet 150 g-os bélszín, 50 g füstölt sza-
lonna, 1 fej vöröshagyma, 100 g paradicsompüré, só,
törött bors, mustár ízlés szerint, 1-2 gerezd fokhagyma,
300 g csontlé.*

A füstölt szalonnát kockákra vágjuk, kissé megpirítjuk. A
zsiradékba tesszük a finomra vágott hagymát, a fokhagy-
mát, belekeverünk 1 evőkanál mustárt, hozzáadjuk a para-
dicsompürét. Felengedjük a csontlével és forrni hagyjuk. A
bélszínszeleteket füstölt szalonnacsíkokkal megtűzdeljük
és megsózva, mustárral megkenve forró zsiradékban mind-
két oldalukon megpirítjuk, majd puhára pároljuk. A bél-
színszeleteket a "rozsdás pecsenyelével" leöntjük és azon
melegében tálaljuk. Melléje tört krumplit adunk.

Tenkes kedvence

Hozzávalók: *250 g bélszín, 250 g sertésszelet, 150 g
szárnyasmáj, 100 g gomba, 2 tojás, 150 g zsiradék, 1
kg burgonya, 750 g vöröskáposzta, 30 g cukor, 1 evő-
kanál ecet, só, őrölt bors, petrezselyemzöldje, édesne-
mes paprika, 1 teáskanál köménymag, 5 fej vöröshagy-
ma.*

"Rusty" steak Kőszeg style

4 slices of sirloin steak 150 gm/ 5 oz each, 50 gm/ 2 oz smoked bacon, half of it diced, other half cut into thin strips, 1 Spanish onion, finely chopped, 100 gm/4 oz tomato purée, salt, ground black pepper, 1-2 cloves garlic, crushed, 300 gm/11 oz stock

Sautée the bacon dices, add the onions, garlic, mustard to taste and the tomato purée. Stir in the stock and bring it to the boil. Lard the sirloin slices with the strips of bacon, flavour with salt and mustard. Heat oil in a pan and sear the meat on both sides. Turn down the heat, cover the pan and cook the meat gently until tender. Pour over the "rusty" sauce and serve hot with mashed potatoes.

Tenkes's favourite

250 gm/ 9 oz sirloin of steak, 1 tablespoon mustard, 2 tablespoons vinegar, 150 gm/ 5 oz poultry liver, chopped, 100 gm/ 4 oz mushrooms, chopped, 2 eggs, 150 gm/ 5 oz lard, 1 kg/ 2 lb potatoes, peeled and diced, 750 gm/ 1 3/4 lb red cabbage, cut into strips and steamed, 30 gm/ 1 oz sugar, 1 tablespoon vinegar, salt, ground black pepper, handful of parsley, finely chopped, paprika, teaspoon of caraway seed, 5 Spanish onions,

Take the membrane off the sirloin, make a marinade with mustard and vinegar and let the meat stand in it for about an hour. Take the meat out of the marinade and slice it. Sautée one finely chopped onion in the lard until golden brown, add the liver and the mushrooms. Sautée together, flavour with salt and pepper. Beat the eggs and

A bélszínről a hártyát lehúzzuk, mustáros-olajos páclében állni hagyjuk. A pácolás után a bélszínt felszeleteljük.

Finomra vágott vöröshagymát zsiradékban aranysárgára pirítunk, majd hozzáadjuk az apró kockákra vágott szárnyasmájat, a gombát. Tovább pirítjuk, majd sóval, borssal ízesítjük. Ráhelyezzük a felvert tojásokat és készre pároljuk. Ezt a tölteléket az előkészített bélszínszeletekre felkenjük. Mindegyik bélszínszeletre ráborítunk egy-egy sertésszeletet, a kettőt hústűvel összetűzzük. Az összetűzött hússzeleteket megsózzuk, lisztbe mártjuk, majd bő, forró zsiradékban kisütjük. A hússal együtt egyforma nagyságú tisztított vöröshagymákat sütünk.

A burgonyából hagymás resztelt krumplit készítünk, a vöröskáposztát megdinszteljük, ezekkel körítjük a pecsenyét.

Tubesi töltött hátszín

Hozzávalók: *600 g marhahátszín, 150 g szárnyasmáj, 100 g gomba, 1 fej vöröshagyma, 1 tojás, 150 g zsiradék, 2 zsemle, 1/2 csokor zeller zöldje. A mártáshoz: 100 g sárgarépa, 100 g gyökér, 30 g cukor, 100 g paradicsompüré, 100 g vörösboros szilva, 100 g liszt, 1/2 citrom, 1 fej vöröshagyma, 1 evőkanál mustár, 100 g zsiradék, 1 babérlevél, 1 gerezd fokhagyma, só, majoranna, őrölt bors ízlés szerint, kb. 1/2 liter csontlé.*

A hátszínt szeletekre vágjuk, kiklopfoljuk. A töltelékhez a hagymát finomra vágjuk, zsiradékban üvegesre pirítjuk. Hozzáadjuk a szárnyasmájat, a zellerzöldjét, az apróra vágott gombát, sóval, borssal ízesítjük. Ezt követően a beáztatott és kinyomkodott zsemléket és az egész tojásokat összekeverjük és hozzáadjuk a töltelék többi részét, az egészet jól összedolgozzuk, majd a hátszínszeletekre kenjük. A megkent szeleteket egy másik szelettel leborítjuk és

add them to this mixture. Simmer until all ingredients are cooked. Distribute this filling on the slices of sirloin, cover each with a slice of pork and secure with a skewer or toothpick. Salt, dip them into flour and fry in hot oil. Fry the rest of the onions together with the meat.

Cook the potatoes, mash them and mix with the fired onions. Serve the meat with this and the steamed cabbage.

Stuffed rumpsteak Tubes style

600 gm/ 1 1/3 lb rumpsteak, sliced, 150 gm/ 5 oz poultry liver, 100 gm/4 oz mushrooms, chopped, 1 Spanish onion, chopped finely, 1 egg, 150 gm/ 5 oz lard, 2 slices white bread, handful of celeriac leaves, chopped finely,
For the sauce: 100 gm/ 4 oz carrots, cut into rounds, 100 gm/ 4 oz parsnip, cut into rounds, 30 gm/ 1 oz sugar, 100 gm/ 4 oz tomato purée, 100 gm/ 4 oz prunes steeped in wine, 100 gm/ 4 oz flour, 1 Spanish onion, chopped, 1 tablespoon mustard, 100 gm/ 4 oz lard, 1 bayleaf, 1 clove garlic, crushed, salt, marjoram, ground black pepper, 2 1/3 cups stock

Beat the beef slices. Sautée the onion in the lard until transparent. Add the liver, the celeriac greens and the mushrooms, flavour with salt and pepper. Soak the bread in a little milk or water, squeeze the liquid out with your hands and mix the eggs with it. Add the liver-mushroom mixture, work together well and spread evenly on the steak slices, covering each slice with another slice of meat. Fasten them with skewers. Rub a pan with lard, put the meat in it, add a little stock and simmer until tender. For the sauce, sautée the onion and the vegetables in a little lard then add the stock. Stir in the tomato purée, the garlic

a kettőt hústűvel összetűzzük. Az így elkészített szeleteket kizsírozott lábosba tesszük, kevés csontlével meglocsoljuk és készre pároljuk.

A mártás készítése: a zöldséget karikára vágjuk, a hagymát feldaraboljuk, kevés zsíron megpirítjuk, majd csontlével felengedjük. Hozzáadjuk a paradicsompürét, a szétnyomkodott fokhagymát, a babérlevelet, ízesítjük mustárral, cukorral, sóval ízlés szerint, hagyjuk főni, amíg minden jól megpuhul. Ezután a mártást szitán áttörjük, lisztes habarással besűrítjük, majd boros szilvalével ízesítjük. A kész mártást ráöntjük a hátszínszeletekre. Melegen tálaljuk, melléje főtt burgonyát adunk.

Babsterc

Hozzávalók: *200 g szárazbab, 400 g liszt, 2 evőkanál só, 200 g zsír.*

A babot előző napon beáztatjuk. A készítés napján másfél liter sós vízben puhára főzzük. Vastag falú edényben a lisztet egy kevés sóval együtt szárazon, lassú tűzön, állandó kavargatás közben aranysárgára pirítjuk. Óvatosan hozzáadunk a liszthez 1 liter forró bablevet, majd jól elkeverjük, meglocsoljuk a felforrósított zsiradékkal és belékeverjük a főtt babot. Egy kevés ideig pihenni hagyjuk, aztán villával szétnyomkodjuk a babszemeket. Fogyasztás előtt sütőbe tesszük és felforrósítjuk, meg is piríthatjuk, hogy szép színt kapjon.

Salátákkal, aludttejjel, tejfellel, előételnek fogyasztható, vagy mártásos húsok mellé körítésnek adható.

Soproni babos pogácsa

Hozzávalók (mintegy 40 pogácsa készítéséhez): *1 kg liszt, 50 g szójaliszt, 400 g főtt tarkabab, 400 g zsír, 50*

94

and the bayleaf; season with mustard, sugar and salt to taste and let cook until all ingredients are tender. Put the sauce through a sieve, thicken with a little flour and add the liquid from the prunes. Pour the sauce over the meat. Serve hot with cooked potatoes.

Bean sterc

200 gm/ 7 oz beans, 400 gm/ 14 oz flour, 2 tablespoon salt, 200 gm/ 7 oz lard

Soak the beans overnight. Cook them in 1 1/2 l / 2 1/2 pints salted water. In a heavy pan, brown the flour with a pinch of salt while stirring continuously over a moderate flame. Little by little add 1 litre(1 3/4 pint) hot liquid from the cooking beans. Stir well, sprinkel with the heated lard and mix in the beans. Let it rest for a while then mash the beans with a fork. Place into the oven and heat up or brown the top before serving. It can be eaten as a starter with salads, buttermilk or sour cream or can be served as a garnish for meat dishes.

Sopron bean scones

Makes about 40 scones: 1 kg/ 2 lb flour, 50 gm/ 2 oz soy flour, 400 gm/1 lb beans, 400 gm/1 lb lard, 50 gm/ 2 oz yeast, 1 cup sour cream, 2 eggs, 20 gm/ 2/3 oz salt, teaspoon of ground black pepper

Cook the beans in salted water and allow them to cool. Keep about 40 beans for decoration. Mince the rest of the beans and add the lard, yeast, sour cream, eggs and the soy flour. Season with salt and pepper. Leave it to rest for 15 minutes. Mix in the flour, knead together and set aside

g élesztő, 1 csésze tejfel, 2 egész tojás, 20 g só, kávéskanálnyi őrölt bors.

A babot sós vízben puhára főzzük, majd hagyjuk kihűlni. Utána húsdarálón ledaráljuk, hozzáadjuk a zsírt, az élesztőt, a tejfelt, a tojást, szójalisztet. Sóval-borssal ízesítjük. Negyedóra hosszat pihentetjük. Ezután hozzágyúrjuk a lisztet, s újabb negyedórát pihentetjük. Mikor megkelt, a tésztát 2 cm vastagra kinyújtjuk, tetejét késsel megvagdossuk, pogácsaszaggatóval kiszaggatjuk. A pogácsák tetejét tojással megkenjük, dísznek egy-egy szem főtt babot dugunk mindegyik közepébe. Középmeleg sütőbe tesszük és 20-25 percig sütjük.

Erdészgombóc

Hozzávalók: *500 g darált sertéshús, 5 tojás, 1 evőkanál só, 1 teáskanál őrölt bors, 100 g vöröshagyma, 1 gerezd fokhagyma, petrezselyemzöldje, 100 g zsiradék, pirospaprika, őrölt szerecsendió.*

A darált húst a tojásokkal, fűszerekkel összedolgozzuk, majd vízbe mártott kanállal felforrósított zsírba szaggatjuk. Fedővel letakarjuk, s amikor a gombóc egyik oldala megpirult, megfordítjuk és a másik oldalát is megsütjük. A kész gombócokat gombamártásba tesszük.

Gombamártás húsgombóchoz

Hozzávalók: *20 g gomba, 2 fej vöröshagyma, 1 teáskanál őrölt bors, 50 g liszt, 50 g zsiradék, 250 g tejfel, 1 1/2 csésze száraz fehérbor, só, őrölt bors, őrölt szerecsendió ízlés szerint.*

for another 15 minutes. When the dough has risen, roll it out to a 2 cm (4/5 inch) thickness. With a knife score a checkered pattern across the dough. Use a pastry cutter (or a small glass) to cut out the scones. Brush the scones with a beaten egg and decorate each with one of the cooked beans and put them into a baking tin. Bake in a moderate oven for 20-25 minutes.

Forester's dumplings

50 gm/ 1 lb 2 oz minced pork, 5 eggs, 1 teaspoon salt, 1 teaspoon ground black pepper, 100 gm/ 4 oz Spanish onions, chopped, 1 clove garlic, crushed, handful of parsley, chopped, 100 gm/ 4 oz lard, paprika, ground nutmeg

Mix the pork with the eggs then add the onions, garlic and the seasonings. Heat the lard in a pan and with a spoon dipped into hot water, cut off dumplings and put them into the hot lard. Cover the pan and fry the dumplings on both sides. Serve the dumplings with mushroom sauce.

Mushroom sauce for the dumplings

200 gm/ 7 oz mushrooms chopped, 2 Spanish onions, chopped, 1 teaspoon ground black pepper, 50 gm/ 2 oz flour, 50 gm/ 2 oz lard, 250 gm/ 9 oz sour cream, 1 1/2 cups dry white wine, salt, ground nutmeg

Sautée the onions and the mushrooms in half of the lard, add a little water and bring it back to the simmer. Season to taste. Make a light roux with the rest of the lard and the flour and thicken the sauce with it. When it has come

A darabokra vágott gombát zsiradékban, vöröshagymával megpároljuk, majd kevés vízzel felöntjük. Sózzuk, fűszerezzük, majd zsiradékból és lisztből világos rántást készítünk, ezzel a mártást besűrítjük. Mikor egyet forrt, hozzáöntjük a fehérbort, végül hozzáadjuk a tejfelt is. A felforrósított mártásban adjuk asztalra az erdészgombócokat.

Túrós pogácsa

Hozzávalók: *250 g liszt, 250 g margarin, 250 g tehéntúró, 1 tojás, 1 kávéskanál só, 1 tojássárgája.*

A liszthez hozzádolgozzuk a margarint, az áttört tehéntúrót, a tojást, sóval ízesítjük, összegyúrjuk. A tésztát ezután becsavarjuk fóliába, néhány óra hosszat pihenntetjük
Elkészítéskor a belisztezett gyúródeszkán kinyújtjuk kb. 2 cm vastagságúra, a tetejét késsel megvonalazzuk, pogácsaszaggatóval kiszaggatjuk. A tepsibe rakott pogácsákat tojássárgájával megkenjük, majd előmelegített sütőbe tesszük és szép pirosra sütjük. Melegen fogyasztva a legízletesebb.

Gyürky tésztája

Hozzávalók: *4 tojás, 4-4 evőkanál tejfel és liszt, 1 liter tej, 100 g mandulabél, 100 g porcukor, 1 evőkanál vaj.*

A tojások sárgáját cukorral, liszttel, tejfellel elkeverjük. A tojások fehérjét kemény habbá felverjük, majd óvatosan hozzáadjuk az előbbihez.
A tejet felforrósítjuk, a tojásos masszából galuskákat szaggatunk és a forró tejben kifőzzük.
Egy tűzálló edényt vajjal kikenünk, belerakjuk a galuská-

back to the boil, add the wine, finally stir in the sour cream. Heat up the sauce again and serve the dumplings in it.

Curd cheese scones

250 gm/ 9 oz flour, 250 gm/ 9 oz margarine, 250 gm/ 9 oz curd cheese, 1 egg, 1 teaspoon salt, 1 egg yolk

Press the curd through a sieve. Mix the flour and the margarine, then add the curd and knead together. Form the dough into a loaf and wrap it up in aluminium foil. Set it aside for a couple of hours. On a floured baking board roll out the dough to about 2 cm (1 inch) thickness. Cut a checkered pattern into the dough with a knife and cut out the scones with a pastry cutter or a small glass. Put the scones into a baking tin and brush them with the egg yolk. Put them into a preheated oven and bake until their top becomes golden. It is best while still warm.

Gyürky's pastry

4 eggs, 4 tablespoons sour cream, 4 tablespoons flour, 1l 1 3/4 pt milk, 100 gm/ 4 oz almonds, chopped, 100 gm/ 4 oz castor sugar, 1 tablespoon butter

Mix the yolks of the eggs with the sugar, flour and the sour cream. Beat the egg whites until they are stiff then carefully fold into the mixture.

Heat the milk and with a spoon cut dumplings of the egg mixture into it. Cook the dumplings in the milk. Rub an oven-proof dish with butter. When the dumplings are cooked take them out of the milk and put them into this dish. Sprinkle with almonds and sugar in layers. Place the dish into a moderate oven and bake until golden brown.

kat, s minden réteget apróra vágott mandulával, cukorral meghintünk. A tűzálló edényt sütőbe tesszük és mérsékelt lángon átsütjük.

Büki máglyarakás

Hozzávalók: *750 g tejeskalács, 1 liter tej, 8 tojás, 150 g porcukor, 100 g vaj, 700 g alma, 1/2 evőkanál őrölt fahéj, 200 g dióbél, 1 evőkanál rum, 150 g barackíz, 1/2 citrom héja, 150 g szőlőbogyó.*

A kalácsot kockákra vágjuk, leöntjük forró tejjel, melybe előzőleg belekevertük a tojássárgákat, 100 g cukrot és 50 g vajat.

Az almát meghámozzuk, felszeleteljük, vízben egy kevés cukorral, citromhéjjal megpároljuk. Mikor megpárolódott, leszűrjük.

Egy tűzálló edényt kivajazunk, belerakjuk a tejbe áztatott kalács felét. Szétterítjük rajta a lecsurgatott almát. Meghintjük fahéjjal, darált dióval, majd meglocsoljuk rummal.

Ezután rátesszük a kalács másik felét, villával gyengéden megnyomkodjuk, bekenjük a felhígított barackízzel. Középmeleg sütőbe tesszük és kb. 1/2 óra hosszat sütjük.

Eközben a félretett tojásfehérjéket habbá verjük, elkeverjük benne a maradék porcukrot, barackízt, majd a sütőből ideiglenesen kivett tésztára rakjuk, elsimítjuk a tésztán. A szőlőszemeket tesszük legfelülre. Visszatesszük a tepsit a sütőbe és erős lángon szép pirosra sütjük.

Mecseki gömbpalacsinta

Hozzávalók: *100 g liszt, 2 tojás, 250 g cukor, 100 g zsiradék, 50 g darált dió, 10 g mazsola, 20 g mandulabél,*

Büki jam pudding

750 gm/ 1 3/4 lb brioche, diced, 1 l/ 1 3/4 pt milk, 8 eggs, 150 gm/ 5 oz castor sugar, 100 gm/ 4 oz butter, 700 gm/ 1 1/2 lb apples, peeled and sliced, 1/2 table-spoon ground cinnamon, 200 gm/ 7 oz walnuts, crushed, 1 tablespoon rum, 150 gm/ 5 oz apricot jam, the peel of 1/2 lemon, 150 gm/ 5 oz grapes

Heat the milk, mix in the egg yolks, 100 gm/4 oz/sugar and 50 gm(2 oz) butter. Pour this over the brioche. Soften the apples in water with a little sugar and the lemon peel. When cooked, drain them.

Rub an oven-proof dish with butter and place half of the brioche cubes into it. Spread the apples over them. Sprinkel with cinnamon, walnuts and the rum. Cover this with the rest of the brioche, press gently with a fork. Thin the jam with a little water and pour half of it on top. Bake in a moderate oven for about 1/2 hour. Meanwhile beat the egg whites until stiff, fold in the rest of the sugar and the jam. Take the baking tin out of the oven for a minute and top the cake with the beaten egg whites. Decorate with the grapes. Put back into the oven, turn up the heat and bake until it turns golden brown.

Mecsek ball pancake

100 gm/ 4 oz flour, 2 eggs, 250 gm/ 9 oz castor sugar, 100 gm/ 4 oz lard, 50 gm/ 2 oz ground walnuts, 10 gm/ 1/2 oz rasins, 20 gm/ 2/3 oz almonds, chopped, 1 tablespoon rum, 2 tablespoon mecseki liqueur or yellow Chartreuse , pinch of salt

Make pancakes the traditional way (see p. 65.) and fill them with walnuts mixed with castor sugar and a little

101

1 evőkanál rum, 2 evőkanál Mecseki itóka (vagy más finom aromájú likőr), csipet só.

Palacsintákat sütünk a hagyományos módon (l. 64. old.), megtöltjük porcukorral kevert darált dióval, amelyet egy kevés rummal is megöntözünk. Vaníliakrémet készítünk (l. 64. old.). A megtöltött palacsintákat úgy rakjuk össze, hogy félgömböt alkossanak. Ezt bevonjuk a vaníliakrémmel és megszórjuk vágott mandulabéllel. Tojásfehérjét habbá verünk, majd a tojáshabot kanállal szépen rárakjuk a palacsinta-félgömbre. Meglocsoljuk a Mecseki itókával – vagy más likőrrel – és forrón tálaljuk.

rum. Prepare vanilla cream (see p. 65.). Place the filled pancakes on top of one another so that they form a hemisphere. Cover it with the vanilla cream and sprinkle with the almonds. Beat the egg whites until stiff and spoon onto the heap. Dash with the liqueur and serve hot.

A Nagy Magyar Alföld ízei

Az ország területének kétharmadát teszi ki a Duna vonalától keletre, az országhatárokig húzódó Nagy Magyar Alföld. Ha az ember közelebbről megismeri, kiderül, hogy sokszínű, változatos tájak mozaikja, nem egyetlen, asztallap simaságú "puszta", mint ahogyan sokan képzelik. Az Alföld nyugati része, a Duna–Tisza köze ligetektől, akácosoktól, hatalmas gyümölcsösöktől tarkított, emberkéz formálta, vonzó vidék. A magyar parasztság egymást követő nemzedékei formálták ilyenre, sok munkával, találékonysággal, szívós kitartással az évszázadok során. Hiszen volt idő, amikor futóhomok borította el hatalmas részeit, miután a török megszállás idején elpusztultak falvai. A túlélők – és a más országrészekből betelepültek – akácosokkal kötötték meg, szőlők és gyümölcsfák millióival ültették be a sívó homokot. Így vált az ország egyik legtermékenyebb részévé a Duna és a Tisza közt húzódó táj – ahol finom gyümölcsök, zöldségfélék, zamatos húsok, remek halak adnak remek fogásokhoz inspirációt háziasszonyoknak, szakácsoknak egyaránt.

Kecskemét városát kajszibarackfák valóságos erdeje övezi, több mint másfélmilliót plántáltak el belőlük az idők folyamán. Egyrészt a csodálatos aromájú, finom gyümölcs kedvéért, másrészt a pálinkáért, amit belőle párolnak. A nevezetes kecskeméti barackpálinkát a későbbi VIII. Edward angol király (majd windsori herceg) tette világhírűvé, amikor walesi herceg korában Kecskeméten járva, megis-

The Flavours of the Great Plain

The Great Hungarian Plain occupies two thirds of the area of the country and stretches eastward from the Danube as far as the eastern border. On closer acquaintance this region turns out to be a mosaic of colourful, varied scenery rather than just a single stretch of steppe as flat as the surface of a table, (called "puszta") as many people expect. The western part of the Great Plain, the region between the Danube and the River Tisza, attracts the eye with groves, acacia trees and huge orchards, showing the presence of man. Its present appearance is due to the labour, inventiveness and stubborn persistance of generation after generation of peasants over the centures. These were times when the whole area was covered by drifting sands after its villages were destroyed during the Turkish occupation. The survivors and new settlers coming from other parts of the country bound the sand by planting acacia groves and thousands of vines and orchards. In this way the region between the Danube and the Tisza became one of the most fertile in the country, producing fruits and vegetables, meat and superb fish, all of which have inspired housewives and chefs to prepare great dishes.

The city of Kecskemét is surrounded by a forest of apricot trees; more than a million have been planted there, some for their delicious fruit, some for the brandy called barackpálinka distilled from it. This well known apricot brandy achieved a wider fame when the Duke of Windsor,

merkedett vele. Maga a város első benyomásként a 19–20. századforduló hangulatát idézi, a magyaros szecesszió jegyében épült színes házai sajátos, egyéni karaktert adnak belvárosának. A legjellegzetesebb e szecessziós paloták közül a tanácsház, amelynek alkotói Lechner Ödön és Pártos Gyula keleti motívumok, színes díszítmények alkalmazásával igyekeztek egy ősi elemekből táplálkozó, magyar építészeti stílust teremteni. A tőle nem messze emelkedő Czifrapalota színes kerámiadíszei a népmesék hangulatát idézik. Kecskemét története sokkal messzebbre megy vissza a múltba, mintsem hogy a századforduló alkotásai határozhatnák meg csak a városképet. A Szent Miklós templom építése arra a korra nyúlik vissza, amikor a tatárjárás pusztításai után a 14. században virágzó mezővárosként született újjá Kecskemét. A török megszállás idejében szultáni birtok volt – úgynevezett khász város – és bizonyos fokú védettséget élvezett. Később, a török kiűzése után, a barokk stílus jegyében épült újjá Kecskemét. Ekkor emelték a piarista templomot a rendházzal és a ma is működő gimnáziummal; az Öregtemplom már a rokokó jegyeit viseli. A 20. századi magyar zeneművészet Bartók Béla mellett legnagyobb alkotója, Kodály Zoltán Kecskeméten született és egész életében szoros kötelékek fűzték a városhoz: ennek jegyében hozta létre az utókor egy hajdani kolostor épületében a Kodály Zoltán zenepedagógiai intézetet, amely a Kodály-módszer szellemi műhelye napjainkban. A város szülötte volt Katona József is, a klasszikus történelmi dráma, a *Bánk Bán* alkotója. Műve alapján komponálta Erkel Ferenc a hasonló című operát.

Kecskemét konyháját a környező tanyavilágból a városba áradó termékek bősége színesíti. E tanyák akkor keletkeztek, amikor a török hódoltság elmúltával a parasztok ezrei rajzottak ki a városból, s telepedtek meg az újból művelés alá fogott földeken. Napjainkban a szemen nevelt, finom húsú pulykák, csirkék, gyöngytyúkok, libák a tanyák-

as Prince of Wales, was introduced to it while visiting Kecskemét. The city itself at first sight shows the atmosphere of the turn of the century with its colourful buildings built in the Hungarian secessionist style, giving the inner city its unique character. The bulding of the City Council is the most dominant of the *Art Nouveau* buildings. The architects, Ödön Lechner and Gyula Pártos, combined oriental motifs and coloured ornaments to create a new Hungarian architectural style out of ancient elements. The nearby Czifra Palace is festooned in colourful ceramic ornaments and would not be out of place in a Hungarian folk tale. However, the history of Kecskemét goes back much further than the turn of the century and these buildings do not dominate the look of the city. The foundations of St Miklós Church were laid in the 14th century when, after the Mongol invasion Kecskemét revived as a flourishing market town. During the time of the Turkish occupation it was in the possession of the Sultan and thus enjoyed a certain amount of protection. Later, when the Turks were driven out of the country, Kecskemét was rebuilt in Baroque style. The Piarist Church with the monastery and the secondary school, which still functions today, were all built at that time; the Old Church shows the influence of Rococo. Kecskemét was the birthplace of Zoltán Kodály, a most remarkable figure in 20th century Hungarian music, comparable only to Béla Bartók. Throughout his life Kodály maintained close links with Kecskemét: accordingly it was here that the Kodály Musical Pedagogical Institute was established in an old monastery building. This is a major workshop for the Kodály method. József Katona, the dramatist, was also born in Kecskemét. He wrote Bánk Bán, the classic historical Hungarian drama and the inspiration for Ferenc Erkel's opera of the same title.

In the kitchens of Kecskemét are to be found all the

ról kerülnek Kecskemét piacára és boltjaiba. A tehenésze-
tek kiváló minőségű tejet, tejfelt, túrót, vajat és más tejter-
mékeket szállítanak, s akkor még nem is szóltunk a sokféle
gyümölcsről, zöldségféléről, amelynek egy része fóliasátor-
ban terem és primőrként érkezik. A Kecskemét szomszéd-
ságában lévő bugaci pusztán rackajuhokat és annak a szür-
ke szarvasmarhafajtának a leszármazottait tenyésztik,
amelynek őseit a magyarok ősei hozták magukkal keletről.
A bugaci puszta szívében lévő csárda egyik látványos fogá-
sa éppen a nyárson sült ökör húsa. A 150-200 kiló súlyú
fiatal állatot levágják, majd titkos bugaci recept alapján ké-
szülő páclével bepácolják, ezután faszénparázs fölött sütik
ki, nyárson. Egy másik ízletes bugaci eledel a kapros csir-
kepaprikás, amelyhez juhtúróból készült, kaporral ízesített
galuskát adnak köretnek rendszerint.

A Duna–Tisza köze déli részében, a jugoszláv–magyar
határnál fekvő Szeged a folyók városa. Mindenekelőtt a Ti-
száé, amely vizében sárgás homokot lebegtet, ezért nevezik
"szőkének" – de a Marosé is, amely a város felett ömlik a
Tiszába. Hatalmas félkörívet leírva folyik a Tisza az ősi vá-
ros és a túlparton elterülő Újszeged között, a Maros vi-
szont azzal járult hozzá Szeged történetéhez, hogy az erdé-
lyi bányákban termelt só e folyón érkezett a Tiszához, s a
sószállítmányok átrakóhelyénél létesült a római időkben a
Partiscum, a folyó menti őrállomás, amelyet Szeged elődjé-
nek tekinthetünk. A népvándorlás idejében a hun biroda-
lom központja a legenda szerint Szeged táján, a Tiszánál
lehetett, még Attila, a hun fejedelem sírját is a folyó medré-
ben sejti a hagyomány. A honfoglaló magyarok hamarosan
birtokba vették az Alföld e termékeny, halban-vadban gaz-
dag részét, s idővel megtelepedtek a nagy folyónál.

A Tisza nem mindig volt azonban éltetője Szegednek: a
város történetének tragikus eseménye az 1879. évi árvíz,
amely szinte letörölte a föld színéről Szegedet. Több mint
hatezer épületét pusztította el, csak a legszilárdabb alapza-

produce that flows into the city from the nearby farms. These isolated farms came into being when, after the end of the Turkish occupation thousands of peasants swarmed out of the city and set about cultivating the land agains. Now these farms supply the markets and shops in Kecskemét with fine grain-fed poultry: turkeys, chickens, guineas-fowl and geese. Dairy farms supply excellent milk, sour cream, curds, butter and other dairy produce. Nor should we forget the various fruits and vegetables, some grown under large plastic tents to arrive in the shops as premier fruit. Not far from Kecskemét, on the Bugac puszta, special horned sheep are bred, as are the descendants of the grey cattle which were brought here by the ancient Magyars from the East. The tavern in the heart of the Bugac puszta has a spectacular speciality - ox roasted on the spit. The young animal is killed, the meat is marinated according to a secret Bugac recipe, then roasted over charcoal embers on the spit. Another tasty Bugac dish is chicken paprika in a dill sauce and usually served with dumplings made of ewe-curd and dill.

The city of Szeged is situated in the southern part of the region between the Danube and the Tisza near the Yugoslav border and is called the city of rivers. It is, of course, first of all, the city of the River Tisza, which because of the yellowish silt it carries is nicknamed the "blond"; it is also the city of the River Maros which flows into the Tisza above the city. The Tisza winds in a huge semicircle and separates the old part of the city from Ujszeged, the new part. The Maros has also played an important role in the history of Szeged, as it was the waterway along which salt was transported from Transylvanian salt-mines to the Tisza; on the site where the salt was unloaded a settlement called Partiscum was founded in Roman times, which can be taken as the forerunner of

tú templomok, házak maradtak fenn a nagy árvíz után. Ám a nagy árvíznek, paradox módon, volt jótékony hatása is. A pusztulás után szép és elegáns városként született újjá Szeged. Akkor épültek belvárosának történelmi stílusokat idéző eklektikus házai, akkor keletkeztek a fantáziadús díszítőelemeket tartalmazó szecessziós paloták. A városatyák fogadalmat tettek, hogy Szeged újjászületésének emlékére monumentális templomot épitenek. A Fogadalmi Templom épitése hosszan elhúzódott, mert közbejött az első világháború. Végül 1929-ben avatták fel a kéttornyú dómot. Előtte árkádokkal szegélyezett tér terül el: a boltívek alatt az irodalom, a művészetek, a tudományok kiemelkedő alkotóinak szobrai, domborművei láthatók. A Dóm előtti téren szabadtéri játékokat rendeznek nyaranta.

A Tisza városában nem kell messzire mennie az embernek, hogy jóféle halételekkel találkozzék. Akár barátokhoz hívják, akár valamelyik halászcsárdában ismerkedik a szegedi ízekkel, minden valószínűség szerint halászlé kerül a tányérjába, mégpedig – természetesen – annak "tiszai" változata, amelyről már korábban szó esett (l. 30. old.). A Tiszában sokféle hal él: a pontyon kívül harcsa, csuka, márna, kecsege, sőt fogas is. A folyó sodrásával szemben kell úszniok, húsuk ennek következtében különösen finom, zsírtalan. A sokféle halból sokféleképpen elkészített – de minden változatában jóízű – halételek mellett Szeged konyhájában külön hely illeti meg a paprikát. A város környéke "a magyar fűszer" egyik fő termőhelye. (A másik Kalocsa.) Paprikaéréskor sok parasztházat ékesítenek a felaggatott paprikafüzérek: ilyenkor a szellős, napfényes tornácok elé teszik ki száradni a felfűzött paprikát, amelyet a szegedi paprikamalomban őrölnek finom porrá azután. A marha-, disznó-, birka-, csirke-, avagy vadhúsokból készült paprikás Szegeden azért különösképpen izletes, mert a paprikával való fűszerezés valóságos művészetté fejlődött errefelé a nemzedékek során. A húshoz legjobban illő paprikafajta

110

Szeged. According to legend, during the Great Migrations the nucleus of the Hun empire was somewhere near Szeged at the Tisza; indeed the reigning prince, Attila, was traditionally believed to have been buried in the riverbed. The Magyar settlers took possession of this fertile part of the Great Plain, so rich in fish and game and, in the course of time, they settled along the river.

The Tisza, however, has not always been a life-giving element in Szeged; a tragic event in the history of the city was the 1879 flood, which almost swept Szeged off the map. It demolished more than six thousand buldings, only the churches and houses with very firm foundations survived. Yet the great flood has some benefit. After the devastation Szeged was rebuilt as a beautiful and elegant city. This was when the eclectic appearance of the central city was established, reviving various architectural styles, like the secessionist buildings with their full-of-fantasy ornamentation. The burghers made a vow to build a gigantic church to commemorate the second birth of Szeged. The Votive Church was a long time under construction as the First World War delayed the work. Finally, in 1929 the twin-spired cathedral was consecrated. Before it stands a cloistered square; along the cloisters are placed statues and reliefs of scholars, artists and scientists. In summer the square houses the open air theatre in Szeged.

In the city of the Tisza you do not have to go far to find good fish dishes. Either visiting friends or trying to discover the flavours of Szeged in a fish restaurant, you will probably be given a bowl of fisherman's soup, naturally its Tisza version as has been described above (see p. 31). There are many types of fish in the Tisza: ponty (carp), harcsa (pike), márna (barbel), kecsege (sterlet) and even fogas (perch-pike). Having to swim against the current, their flesh is especially tasty and firm. Besides the various kinds of fisherman's soup, always prepared from a variety

111

megválasztása, a forró zsiradékban párolódó vöröshagyma és a paprika ideális "összehozása" Szegeden vonult be a magyar konyha mesterfogásai közé. El is áruljuk nyomban az olvasónak e "titok" lényegét. A paprikának a zsiradékban nem szabad túlhevülnie, mert ettől színe barnássá válhat, íze megkeseredhet. Hogy ezt elkerüljük, miután a piruló hagymára ráhintettük a pirospaprikát, nyomban öntsünk egy kevés húslevet vagy vizet hozzá. De tökéletesen megfelelő módszer az is, ha a paprikával meghintett hagymához nyomban hozzáadjuk a megmosott húst, s így a forrás folyamata egy pillanatra megszakad. Ezután már főzhetjük az ételt bátran tovább: csak szép színt, jó ízt kaphat a vele együtt fővő paprikától!

Az Alföld keleti részében, amelyet Tiszántúlnak neveznek, természeti rezervátumként ugyanúgy megmaradt egy puszta, mint Kecskemét mellett. Ám az Alföld keleti nagyvárosát, Debrecent, valamint a város környékét is, a parkok, ligetek jellemzik inkább, mint e pusztaság. Fák és virágok fogadják az embert Debrecenben mindenütt, az utcákon és a tereken. A debreceniek virágszeretetének megnyilatkozása, hogy nyáron megrendezik a virágkarnevált – amelynek idején az egész város virágdíszbe öltözik. A város parkja, a Nagyerdő, kellemes sétáló- és szórakozó hely, fürdővel, csónakázó tóval, vendéglőkkel. A városon túl is folytatódik, öreg gyertyánosokkal, kocsányos tölgyesekkel.

A debreceniek természetszeretete bizonyára összefügg a város múltjával: bár a város polgárai, a "cívisek" jobbára kereskedésből és kézműiparból éltek, a gazdálkodással sem hagytak fel soha. Messzi környéken Debrecen város birtokában voltak a legelők és a szántóföldek, s ezeken a város polgárai gazdálkodtak oly módon, hogy az általuk fizetett adók arányában osztották ki mindig a földeket. A jólét fő forrása az állattartás volt. Lábon hajtották el a jóhúsú szarvasmarhákat Ausztriába, Németországba. A debreceni kalmárok kompániákba álltak össze, úgy szállították biztonsá-

Alföld
The Great Hungarian Plain
Kunszentmiklós

124. oldal
p. 125

Lebbencsleves

Lebbencs soup

126. oldal
p. 127

Mazsolás csirkeleves

Chicken and raisin
soup

126. oldal
p. 127

Szegedi marhanyelv
tejfeles mártással

Ox tongue in the
Szeged style

128. oldal
p. 129

Szegedi tarhonyás hús

Pork with tarhonya
Szeged style

128. oldal
p. 129

Debreceni
aprópecsenye

Debrecen pork
medaillons

136. oldal
p. 137

Debreceni mézes
Debrecen honey cakes

136. oldal
p. 137

Debreceni perec
Debrecen pretzel

of fish, paprika also plays an important part in the local cooking. The Szeged region is one of the two main centres of production of "the Hungarian spice", paprika (the other one is Kalocsa). At harvest-time many peasant houses are decorated with garlands of peppers hung under the eaves.

The peppers are sun-dried in the airy verandas, then ground in the Szeged mill. Any kind of paprikás dish-beef, pork, mutton, chicken or game – is especially tasty in Szeged because the use of paprika as a spice has become art here over the years. To choose the best kind of paprika for a particular meat and to combine it ideally with the chopped onions frying in hot fat first became a basic trick of Hungarian cooking in Szeged. The secret is that the fat should not be too hot because then the paprika would become brownish in colour and bitter in taste. To avoid this, you have to add a little stock or water as soon as you sprinkle the paprika on the softening onions. Another way is to add the meat to stop the cooking process for a moment. After that you can go on cooking – the paprika will give a fine colour and a delicate taste to the food.

In the east of the Great Plain, called the Trans-Tisza Region, a national park preserves the puszta, just as near Kecskemét. Still the area in and around Debrecen, the big city of the Great Plain is more famous for its parks and groves than for the nearby waste land. The visitor is welcomed by the sight of trees and plants all over the streets and squares of Debrecen. The people of the city are so fond of flowers that a flower carnival is organised here during summer time, when the whole city is dressed overall in flowers. The largest park in Debrecen, called Nagyerdő, is pleasant for strolling and relaxing; it has public baths, a boating lake and restaurants. The park stretches over the city itself and is a forest of old hornbeam trees and oaks.

The people of Debrecen enjoy living close to nature and this might be explained by the past of the city. Al-

gos kísérettel a bőrárut, posztót, ötvösmunkákat, a lakatosok, kardcsiszárok és más kézmívesek portékáit Prágába, Bécsbe, Augsburgba, Nürnbergbe, Krakkóba.

Az élőállatból, kézmívességből, kereskedésből származó jövedelem egyebek közt arra is jó volt, hogy általa megváltsák Debrecent a sokfelől fenyegető veszélyektől. Amikor Buda török kézre került s az ország három részre szakadt, a város határában 1543-ban megjelentek Rusztán budai pasa hadai. Sátrat vertek a dombon, amelyet azóta Basahalomnak neveznek, s Debrecen szenátusa hódoló levéllel és dús ajándékokkal igyekezett a pasa kedvében járni. Ily módon sikerült is rávenniök, hogy békésen távozzék a város alól. Két esztendővel később pedig magától a szultántól eszközölt ki oltalomlevelet Debrecen.

Miközben a szultánnal és az ország más részeit birtokukban tartó Habsburgokkal egyezkedett pénzzel és diplomáciával, Debrecen szíve szerint Erdélyhez húzott voltaképpen, amelynek felvirágzásából a városnak is része jutott. Bocskai István fejedelem 1606-ban a bécsi békekötéssel kivívta a protestánsok vallásszabadságát és a reformátussá lett Debrecen szabadon követhette helvét hitvallását ezentúl is. Az 1538-ban alapított – mindmáig működő – Református Kollégium az erdélyi fejedelmek és a debreceni gyülekezet támogatásával a magyar tudományos élet és az oktatásügy fontos központja lett.

Az Erdélyhez fűződő sok évszázados kapcsolat hatása sejlik sok szelíden-pikáns, finom ízben, amellyel az ember Debrecenben, első intrádára találkozik. A "falusi levesben" például, amelyet marhahúsból, csirkemellből, sertéslapockából főznek, s amely a hozzáadott gombával, leveszöldséggel, zöldbabbal, vöröshagymával, édesnemes paprikával remek ízegyüttest alkot. Ám a pláne még hátra van. A megfőtt levest cserépköcsögbe töltik, annak száját lángostésztával tapasztják be, majd a köcsögöt a forró sütőbe helyezik. Miközben a lángos kisül, a tészta fokról fokra átveszi a

though the burghers of Debrecen, who have a special name in the Hungarian language, *civis*, were mostly traders and craftsmen, they never gave up farming entirely. The best pastures and ploughlands in the region were owned by the city and they were distributed among the burghers of Debrecen in proportion to the taxes they paid. It was husbandry that brought prosperity. Cattle were driven to Austrian and German markets on the hoof. The merchants of Debrecen formed companies and organised escorts for their leather goods, broad-cloth, the products of gold-smiths, locksmiths, sword-makers and other craftsmen, sending them to Prague, Vienna, Augsburg, Nürnberg or Krakow.

The profit made from cattle, crafts and commerce al-lowed Debrecen to stave off threatening dangers. When Buda was taken by the Turks and the country was split into three parts, in 1543 the army of Rustan, the pasha of Buda, turned up on the edge of the city. They put up their tents on the hill which is called Basahalom (Pasha hill) even today and the council of Debrecen were eager to please the pasha with a letter of surrender and presents in abundance. They managed to get him to leave the city in peace. Two years later Debrecen obtained a letter of pro-tection from the Sultan himself.

While trying to come to agreement with the Sultan and also the Habsburgs, who were then in possession of the north-western part of the country, Debrecen actually sought alliance with Transylvania and duly had its share of Transyl-vania's prosperity. Prince István Bocskai secured freedom of religion for Protestants by concluding peace terms with Vienna in 1606; Debrecen became free to practise Calvinism. The Calvinist College of Debrecen, which was founded in 1538 and is still functioning, became an important centre for scholarship and education with the help of Transylvanian princes and the congregation in Debrecen.

levesből párolgó finom ízeket. A debreceni "töltike" is erdélyies ízeket idéz: a borjú- és sertéshúsból, zsírban pirított vöröshagymából, rizsből készült tölteléket leforrázott fiatal szőlőlevelekbe töltik és csomókba kötött szőlőkacsokkal együtt főzik puhára. Mártását kaporral ízesítik, tejfellel sűrítik. A debreceni módra elkészített vadliba, avagy vadkacsa finom ízeit majoranna, babérlevél és száraz rizling bor adja, erdélyi hatás érződik ezen is! Van a debreceni konyhának egy markánsabb, pikánsabb ízhatásokat alkalmazó válfaja is. A tokány debreceni módra füstölt szalonnával és fokhagymával készül, a fűszeres "debreceni páros" kolbászt adják hozzá kíséretül, ugyancsak a "debreceni páros" ad jellegzetes, markáns ízt a debreceni töltött káposztának is.

Tudnivaló, hogy az Alföld e részén a hajdúk leszármazottai élnek – a marhahajcsár szabadparasztoké, akik vitézül harcoltak a Habsburgok elleni szabadságküzdelmekben, s érdemeikért Bocskai István fejedelem "hajdúnemességhez" juttatta és letelepítette őket saját birtokán.

A Hajdúság sokat megőrzött a régi tradíciókból – a nagy karimájú hajdúkalaptól és a szűrtől a pásztorfaragásokig. Míg ezek inkább folklórisztikus érdekességek csak napjainkban, a jó hajdúsági konyha – amely megőrizte a hagyományos ízeket – az élet mindennapjaihoz tartozik ma is. A "hajdú koszt" példája az egyik hajdúsági faluból – Nagyivánból származó tyúkleves, amely akár komplett ebédnek is beillik, mert a leves után – amelyben egész tyúk főtt – második fogásnak a tyúk következik, amelyet zöldségfélékkel, gombával, keménytojással töltöttek meg, miután a levesből félig főtten kiszedték, majd megtöltve, sóval-borssal meghintve a sütőbe került, ahol sörrel való sűrű locsolgatás közben sült szép pirosra. Hajdúsági specialitás a fahéjas hurka is, amelynek darált sertéshúsból és rizsből készült töltelékét a só és bors mellett őrölt fahéjjal ízesítik. Érdemes megemlíteni a pacalt is, amit errefelé

116

The influence of the several century long connection between the city of Debrecen and Transylvania shows in the mildly piquant flavours which is one of the usual first impressions a visitor has of Debrecen. This you will find in their "villagers' soup", which is made from beef, chicken breasts, shoulder of pork in perfect harmony with the mushrooms, soup, vegetables, French beans, onions and sweet paprika added to it. But the best is yet to come: the cooked soup is ladled into an earthenware dish whose top is then sealed with a kind of dough, and put into a hot oven. While the dough is baking, it gradually absorbs the marvellous flavours from the soup. Töltike, a typical dish in Debrecen shows a touch of Transylvanian flavours. Young scalded vine leaves are stuffed with a mixture of veal, pork, sautéed onions and rice, then cooked until tender with bunches of vine tendrils. The accompanying sauce is seasoned with dill and thickened with sour cream. Transylvanian influence shows also in the wild duck or wild goose dishes prepared in the Debrecen style, cooked with marjoram, bay leaves and dry Riesling wine. In Debrecen there exists another style in cooking, as well, which creates sharper, more piquant flavours. Tokány in the Debrecen style is prepared with smoked bacon and garlic and it is served with spicy debreceni sausages. The same sausages give a marked flavour also to the local version of stuffed cabbage.

In this area of the Great Plain there live the descendants of a group called the Hajdu people. They were free peasants, mostly cattle drovers, who played a valiant role in the struggles for independence against the Habsburgs; for their services Prince István Bocskai granted them a kind of Hajdu-nobility and settled them down on his own estates. The Hajdu people preserved much from their old traditions: wide-brimmed hats, long embroidered felt coats and

előbb megabálnak, majd borssal, majorannával, babérlevéllel ízesített és vörösborral megkeresztelt lében pácolnak és félszeletelve, pirított vöröshagymával, sóval, borssal, paprikával, lecsóval főznek készre a pácolást követő másnapon. Jó hajdúsági fogás a sertés gerinccsontjából és a hozzá tartozó tarja húsából főzött orjaleves is, amelynek sokféle zöldség ad pikáns ízt és a belefőzött reszelt tészta húzza alá az ízek együttesét.

Debrecen szomszédságában terül el – mégis szinte külön világnak mondható – a Hortobágyi puszta. Amikor az ember először pillant körbe a Kilenclyukú hídról a végtelennek tűnő lapályon, egyetlen hatalmas síkságot lát, amelynek egyhangúságát csak egy-egy legelésző marhacsorda, birkanyáj vagy egy távoli facsoport szakítja meg. Később azonban kiderül, hogy a puszta tele van élettel és mindegyik részének másféle arca van. A Hortobágyi Nemzeti Park ritka növények, pusztulással fenyegetett állatfajok menedéke. Megmaradtak itt a mocsarak, vadvizek, amelyek tavaszi és őszi madárvonulások idején tőkésrécéknek, vadludaknak szolgálnak pihenőhelyül. Vannak itt erdők, amelyekben kékvércsék, fülesbaglyok, őrgébicsek fészkelnek. Vannak szikes tavak, amelyek sajátos növény- és állatvilágot őriznek. A gémeskutaknál a nagyszarvú szürke magyarfajta szarvasmarha csordája járul az itatóhoz, másutt a hortobágyi ménes fénylő barna szőrű paripái nyargalásznak. Emitt libák tízezrei fehérlenek – amott halastavak vize kéklik. Ugyanilyen változatos a Hortobágy konyhája is, amit a hortobágyi csárdában ízelhetünk meg, a helyszínen. A pásztorleves kockákra vágott marhahúsból készül, füstölt szalonnával, zöldséggel, lecsóval, beléje pirított tarhonyát főznek "betétnek". A hortobágyi palacsintát az egész ország átvette. A hússal töltött palacsinta ízletes előétel, de főfogásnak is beillik, annyira laktató. A palacsintatésztába borjúpörköltet vagy csirkepaprikást töltenek, borssal, tejfellel, köménymaggal, paprikával ízesítve. Ezután pörköltes-tejfeles

their shepherd carvings among much else. While these are mostly of interest to folklore specialists nowadays, good Hajdu cooking, which has also preserved the traditional flavours, is still part of everyday life there. A good example of a Hajdu dish is hen soup as it is prepared in the village of Nagyiván. This soup is almost a full meal, as after the soup which is cooked with a whole hen in it, the hen itself is served as a second course. It is taken half tender out of the cooking soup, and stuffed with vegetables, mushrooms and boiled eggs, then seasoned with salt and pepper and put in the oven to be browned to a fine colour, basted with beer from time to time. Another Hajdu speciality is their black pudding, where cinnamon is added to the ground pork and rice filling, in addition to the traditional salt and pepper seasoning. Their tripe is also worth mentioning, which is here first parboiled then marinated for a day with black pepper, marjoram, bayleaves and red wine. Then the tripe is cut into strips, and cooked with sautéed onions, salt, pepper, red paprika and lecsó. Another pleasing Hajdu dish is orjaleves (pork rib soup), cooked from pork ribs and the juicy meat around them. Various vegetable give the soup a piquant taste and the dry grated pasta cooked in the soup completes the dish.

The puszta of Hortobágy is close to Debrecen, yet is a separate world altogether. When you first look around from the famous nine arched bridge, all you see is a single huge flat lowland all around as far as the eye can reach. The monotony is only broken by a herd of cattle, a flock of sheep grazing here and there or by some distant trees. It will turn out, however, that the puszta is full of life and each of its various parts is different in character. The Hortobágy National Park is a haven for rare plants and endangered animal species. Marshes and inland waters have survived here which serve as resting places for wild ducks and wild geese during the spring and autumn bird migra-

mártással öntik le, s úgy tálalják. Van egy másik válfaja is, amelynél a töltött palacsintákat külön-külön kirántják, s tartármártással szervírozzák.

A pusztán folyó juhászkodásnak köszönhetően a Hortobágy konyhája bővelkedik a bárányból, birkából készült fogásokban: a rántott bárányvelőtől a birkapörköltig terjed a skála. Az utóbbit némi homoki vörösborral is "megkeresztelik" a főzés vége felé.

Mindez hozzátartozik az Alföld ízvilágához – és még sok más vidék főzésmódjának, ételeinek íze is. Az Alföld északi részén lévő Nyírségnek jóízű, karakteres "saját" konyhája van, akárcsak a Szatmárságnak, Jászságnak. Ha itt nem is szólunk róluk külön-külön, az olvasó a receptek közt tallózva, rábukkan ízeikre.

tions. There are woods here where red-footed falcons, eagle owls, grey shrikes nest. There are sodic lakes which have preserved a unique flora and fauna. Herds of the long horned, grey Hungarian cattle go to drink at pole wells; the chestnut horses of the Hortobágy stud farm gallop around. Over here you can see the white of thousands of domestic geese, over there the blue of fish ponds. The cooking of the Hortobágy is just as varied as the scenery, and you can taste the specialities on the spot in the Hortobágy csárda (inn), Shepherds' soup is made from diced beef with smoked bacon, vegetables, lecsó, and seasoned with fried tarhonya cooked in the soup. Hortobágyi palacsinta (Hortobágy pancake) is now found all over the country. The meat-filled pancake is a tasty starter, indeed so filling that is is often eaten as a main course. The filling is veal stew or chicken paprikás, and it is seasoned with black pepper, sour cream, caraway seeds and red paprika, all wrapped into the pancakes. Before serving, the gravy of the stew, to which sour cream has been added, is poured on top. There is another type of Hortobágy pancake, when the stuffed pancakes are fried in breadcrumbs one by one and served with tartar sauce.

Because of extensive sheep-farming, cooking in Hortobágy is often based on lamb or mutton, ranging from lamb sweetbreads fried in breadcrumbs to mutton stew, which is "christened" with a little red wine when it is almost cooked.

All of these are part of the flavour of the Great Plain, together with the cooking traditions and tastes of still some other regions. Nyírség, the area on the northern limits of the Great Plain, has its own cooking, just as Szatmárság and Jászság do. Although these regions are not dealt with here individually, some of their specialities are included among the recipes.

121

RECEPTEK

Szegedi veseleves
(Móra Ferencné receptje)

Hozzávalók: *2 vese, 250 g vegyes zöldség, 3 babérlevél, 1 evőkanál zsír, 1 evőkanál liszt, 1 evőkanál ecet, késhegynyi só, 1 liter víz, 1 púpozott evőkanál rizs, 1 csésze tejfel, 1/2 fej vöröshagyma.*

A vesét hártyájától megtisztítjuk, fehér mirigyét kivágjuk és apró, vékony csíkokra aprítjuk. A megtisztított zöldséggel, babérlevéllel, sóval, hagymával puhára főzzük.

A lisztből vékony rántást készítünk, megpaprikázzuk, a lébe tesszük. Hozzáadjuk az ecetet, a tejfelt és amikor újra forr, belefőzzük a rizst. Tálaláskor még tejfelt adunk hozzá.

Falusi leves

Hozzávalók: *700 g sertéslapocka, 500 g burgonya, 300 g vegyes zöldség, 100 g csemegeuborka, 500 g csirkemell, 100 g zöldbab, 50 g gomba, 1/2 csésze olaj, 1 teáskanál törött bors, 1 fej vöröshagyma, só, pirospaprika ízlés szerint.*

Az apróra vágott vöröshagymát forró zsiradékban, megfonnyasztjuk, pirospaprikával meghintjük. Beletesszük a feldarabolt csirkemellet és sertéslapockát, felengedjük csontlével és puhára főzzük. Főzés közben beletesszük a vékony csíkokra vágott vegyes zöldséget, csemegeuborkát, zöldbabot, gombát, feldarabolt burgonyát. Sóval, törött borssal ízesítjük. A készre főzött levest cserépedénybe töltjük, annak száját nyers lángostésztával lefedjük, majd forró sütőbe tesszük, míg a lángos pirosra sül. A cserépedényben, forrón tálaljuk.

RECIPES

Szeged Ridney soup
(Recipe of Mrs. Ferenc Móra)

2 pigs' kidneys, washed and trimmed and cut length-
wise into small strips, 250 gm / 9 oz mixed soup veg-
etables, cleaned and diced, 3 bayleaves, 1 tablespoon
lard, 1 tablespoon flour, 1 tablespoon vinegar, 1 litre /
1 3/4 pints water, 1 heaped tablespoon rice, 1 cup sour
cream, 1/4 Spanish onion, chopped

Cook the vegetables with the bayleaves, salt and onion
and kidneys in the water until the are all tender.

Make a roux with the flour and lard, add a little paprika
and stir into the soup.

Stir in the vinegar and sour cream. When the soup
comes back to the boil, cook the rice in it. Serve hot with a
little sour cream in each portion.

Villagers' soup

700 gm / 1 1/2 lb pork, diced small, 500 gm / 1 lb 2 oz
potatoes, diced, 300 gm / 11 oz soup vegetables, thinly
sliced, 100 gm / 4 oz green beans, 50 gm / 2 oz mush-
rooms, 1 1/2 litres / 3 pints stock, Lángos tészta (see
below), 1/2 cup oil, 1 teaspoon black pepper, 1 Span-
ish onion, finely chopped, salt and paprika to taste

Sautee the chopped onion in hot lard and sprinkle with
paprika. Add the pork and the chicken, the hot stock and
bring to the simmer. When the meats are half-cooked, add
in the thinly sliced soup vegetables, cucumber and beans,
mushrooms and potatoes. Salt and pepper to taste and

A lángostésztához hozzávalók: *400 g liszt, 30 g élesztő, 1 tojássárgája, 50 g margarin, 2 közepes főtt burgonya, só, 1 csésze tej.*

A lisztet összedolgozzuk a tejben megfuttatott élesztővel, beletesszük a tojássárgáját, a burgonyát megfőzve és áttörve, sót és annyi langyos tejet, hogy közepes keménységű kelt tésztát kapjunk. Félretesszük langyos helyre pihenni, majd amikor már megkelt, vékonyra nyújtjuk és a cserépedény méretének megfelelő nagyságú darabokat vágunk belőle, a cserépedény tetejére helyezzük, köröskörül hozzátapasztjuk a korsó falához, hogy jól zárjon.

Lángos

A fenti lángostésztából tenyérnyi nagyságú darabokat vágunk, villával megszurkáljuk és forró olajban szép aranyszínűre sütjük. Fokhagymával bedörgölve, sóval meghintve fogyasztjuk.

Lebbencsleves

Hozzávalók: *1/2 csésze liszt, 1 tojás, 250 g burgonya, 250 g füstölt szalonna, 1 fej vöröshagyma, 1 zöldpaprika, 1 paradicsom, só, pirospaprika.*

A lisztből, tojásból csipetnyi sóval kemény tésztát gyúrunk. Lisztezett deszkán vékonyra kinyújtjuk, majd száradni hagyjuk körülbelül két óra hosszat.

A burgonyát meghámozzuk, kis kockákra vágjuk és sós vízben vagy csontlében körülbelül tíz percig főzzük.

A füstölt szalonnát vágjuk fel kis kockákra, majd mérsékelt lángon süssük meg. A töpörtyűket kiszedjük a kiolvadt zsiradékból és félretesszük. Ezután a zsírba tesszük az apróra vá-

bring back to the simmer. Ladle the soup into a de earthenware casserole and cover the top with the rolled-out lángos tészta. (Alternatively, ladle the soup into earth-enware soup bowls and cover each with the lángos dough.) Place into hot oven and cook until the pastry turns golden. Serve immediately.

Lángos dough: *400 gm / 14 oz flour, 30 gm / 1 oz yeast, 1 egg yolk, 50 gm / 2 oz margarine, 2 medium potatoes, boiled and mashed, salt.*

Put the yeast in half a cup of luke-warm milk and leave to rise. When it has risen, mix together the flour, egg yolk, the mashed potatoes, a little salt and the yeast with as much luke-warm milk as is necessary to make a half-stiff dough. Set aside to rest in a warm place. When it has risen, roll out thin and cut to the size and shape of the soup bowls. Place a lid of dough over each bowl and press down with the fingers.

Lángos

The above dough can also be cut into palm-sized rounds; prick with a fork and fry in hot oil. Rub with gar-lic, sprinkle with salt and serve.

Lebbencs soup

1/2 cup flour, 1 egg, 250 gm / 9 oz potatoes, peeled and diced small, 250 gm / 9 oz smoked bacon, diced small, 1 Spanish onion, finely chopped, 1 yellow pep-per, seeded and cut into thin strips, 1 tomato, skinned and quartered, salt and paprika

Make a stiff dough with the flour, eggs and a pinch of salt. Roll out a floured board and set aside for about two hours.

gott vöröshagymát és a feldarabolt tésztát. A hagymát és a lebbencstésztát mérsékelt lángon együtt pirítjuk kb. 5-10 percig.

A csíkokra vágott zöldpaprikát, a feldarabolt paradicsomot, a töpörtyűket a főzőlevében lévő burgonyához adjuk, sózzuk utána ha kell, majd lassú tűzön főzzük készre a levest: amíg a burgonya és a lebbencstészta átfő. Körülbelül 5-10 perc főzés után kóstoljuk meg mégegyszer, ha kell sózzuk utána. Melegen tálaljuk.

Mazsolás csirkeleves

Hozzávalók: *600 g csirke, 50 g mazsola, 100 g sárgarépa, 60 g gyökér, 30 g karalábé, 20 g zeller, 1 csésze tejszín, 60 g liszt, 1 citrom, 30 g kristálycukor, 60 g vaj.*

A csirkét megmossuk, feldaraboljuk, hideg vízbe, fazékba tesszük. A kockára vágott zöldséget kissé megsózzuk, vajban megdinszteljük és hozzáadjuk a csirkéhez. Lassú forralással főzzük, mikor félig megfőtt, beletesszük a megmosott mazsolát és tovább főzzük.

Világos rántást készítünk és a levest berántjuk.

Beletesszük a levesbe a tejszínt, a kristálycukrot, reszelt citromhéjat, a citrom levét. Megkóstoljuk és utánaízesítjük, hogy kellemesen savanykás, enyhén pikáns ízű levest kapjunk.

Szegedi marhanyelv tejfeles mártással
(Móra Ferencné receptje)

Hozzávalók: *1 marhanyelv, 2 evőkanál zsír, 200 g tejfel, 1 fej vöröshagyma, 1 gerezd fokhagyma, 10 szem bors, 2 babérlevél, 10 g koriander, só, őrölt szerecsendió.*

A nyelvet a készítés előtt néhány nappal bedörzsöljük szerecsendióval, az apróra vágott vörös- és fokhagymával.

Cook the potatoes in salted boiling water (or stock) for about ten minutes. Meanwhile the dough should be divided into coin-sized pieces.

Cook the bacon dice until the fat is rendered and remove the the dice. In the bacon fat, sautee the onion together with the pasta for five-ten minutes.

Add the peppers, tomatoes and cooked bacon dice to the potatoes and their liquid. Now add the onion and the dough. Simmer over low heat until the potatoes and dough are fully cooked. Taste for salt and serve immediately.

Chicken and raisin soup

600 gm / 1 1/3 lb chicken, cut into serving pieces, 50 gm / 1 oz raisins, washed and drained, 100 gm / 4 oz carrots, diced, 60 gm / 2 1/2 oz parsnips, diced, 30 gm / 1 1/2 oz kohlrabi, diced, 20 gm / 3/4 oz celeriac diced, 1 cup cream, 60 gm / 2 1/2 oz flour, juice of 1 lemon, 30 gm / 1 oz sugar, 60 gm / 2 1/2 oz butter

Put the chicken into cold water and bring to the boil, skimming off the scum that rises to the surface. Sautée the lightly salted vegetables gently in butter and add to the chicken. Simmer gently. When half-cooked add the raisins. Prepare a white roux with flour and butter. Stir into the soup.

Finally stir in the cream, sugar and the juice and grated rind of the lemon. Check for taste – the soup should be slightly sharp and piquant.

Ox tongue in the Szeged style
(Mrs. Ferenc Móra's recipe)

1 ox tongue, 1 Spanish onion, 1 clove garlic, 10 pepper corns, 2 bayleaves, 10 mg / 1/2 oz coriander, 1 grated nutmeg, 2 tablespoons lard, 200 gm/ 7 oz sour cream

127

Melléje tesszük a szemes borsot, babérlevelet, koriandert. Készítéskor a nyelvet leforrázzuk, érdes bőrét lehúzzzuk. A zsírt megforrósítjuk, a nyelvet beleforgatjuk, majd kevés vizet töltve alá, párolni kezdjük és amíg meg nem puhul, újabb és újabb vizet öntünk alá. Amikor megpuhult, kivesszük a levéből, s mikor kissé kihűlt, felszeleteljük. Ezalatt a levét kevés liszttel behabarjuk, tejfellel bekeverjük, majd a mártást a nyelvre öntjük. Burgonyapürével tálaljuk.

Szegedi tarhonyáshús

Hozzávalók: *650 g sertéslapocka, 2 evőkanál zsír, 1 fej vöröshagyma, 2 zöldpaprika, 2 paradicsom, 300 g tarhonya, só.*

A húst megmossuk és kis kockákra vágjuk, majd a megreszelt vöröshagymát 1 kanálnyi zsírban üvegesre pirítjuk, hozzáadjuk a húst, megsózzuk. Ezután beletesszük a lábosba a megtisztított és cikkekre vágott zöldpaprikát, paradicsomot is, lefedjük a lábast és mérsékelt lángon pároljuk. Eközben egy másik lábosban egy kis zsíron a tarhonyát megpirítjuk, majd kevés sós vízzel felöntjük. Amikor a tarhonya félig megpuhult már, jól összekeverjük a hús levével, ha kell utánaöntünk egy kevés lét, majd befedjük, sütőbe tesszük és puhára pároljuk.

Debreceni aprópecsenye

Hozzávalók: *500 g szűzpecsenye, 100 g füstölt szalonna, 100 g füstölt kolbász, 2 fej vöröshagyma, 100 g zsírtalan lecsó, 1 gerezd fokhagyma, pirospaprika, só, 100 g zsír.*

A szűzpecsenye hártyáját lehúzzuk, kis szeletekre vágjuk, sózzuk, gyengén kiklopfoljuk, forró zsírban mindkét oldalán megsütjük. Közben kockára vágott szalonnát te

128

Rub the ox tongue with the nutmeg, the garlic and the onion. Place in a dish with these and the peppercorns, bayleaves and coriander and let stand for about 2 days. Scald the tongue with boiling water and remove the rough skin. Heat the lard, turn the tongue in it and add a little water; simmer gently, adding more water from time to time as necessary. When cooked to tenderness, remove from the liquid. When it has cooled a little, cut into serving slices. Meanwhile, thicken the cooking liquid with a little flour mixed with the sour cream. Pour this over the slices of tongue and serve with puréed potatoes.

Pork with tarhonya Szeged style

650 gm / 1 1/3 lb diced into small cubes, 2 table-spoons lard, 1 Spanish onion, grated, 2 yellow peppers, seeded and cut into strips lengthwise, 2 tomatoes, peeled and quartered, 300 gm / 11 oz tarhonya

Sautée the onion until transparent in the lard. Add in the meat. Salt and brown it well. Now add the pepper and tomatoes, cover and cook over moderate heat.

Meanwhile in a second pot, brown the tarhonya in a little lard. Add a little water, salt it and simmer. When the tarhonya is half-cooked, tip in the contents of the first pot and mix thoroughly. Add a little more water, cover and finish in a moderate oven.

Debrecen pork medaillons

500 gm/1 lb 2 oz pork fillet, membrane removed and sliced into medaillons, 100 gm/4 oz smoked bacon, diced, 100 gm/4 oz smoked sausage, diced, 2 Spanish onions, finely chopped, 100 gm/4 oz lecsó (see page ...), 1 clove garlic, crushed, paprika, salt, 100 gm/4 oz lard

129

szünk fel külön sülni, s ebben a zsiradékban az apróra vágott vöröshagymát aranyszínűre pirítjuk.

A lecsót a hagymás-szalonnás zsiradékhoz adjuk, beletesszük az elősütött hússzeleteket, a karikára vágott kolbászt, s szétnyomkodott fokhagymával, sóval, borssal ízesítve az egészet jól összesütjük. Kockára vágott főtt burgonyával és savanyúsággal tálaljuk

Hortobágyi rostélyos

Hozzávalók: *500 g hátszín, vagy rostélyos, 100 g füstölt szalonna, 100 g sárgarépa és gyökér, 2 fej vöröshagyma, 100 g lecsó, 1 gerezd fokhagyma, 1 evőkanál liszt, só, köménymag, pirospaprika.*

A marhahúst felszeleteljük, kiklopfoljuk, enyhén megsózzuk, lisztbe mártjuk mindkét oldalán. A hússzeleteket kevés zsiradékban mindkét oldalukon egyhén megpirítjuk, majd kivesszük a húst a zsírból, s apróra vágott vöröshagymát pirítunk benne aranyszínűre. A hagymához adjuk a lecsót, a kockákra vágott füstölt szalonnát, a karikákra vágott sárgarépát, zöldséget, sózzuk, paprikázzuk, hozzáadjuk a köménymagot. Amikor az egész összesült, hozzáadjuk az elősütött hússzeleteket, kevés vizet öntünk rá, szükség szerint utánasózzuk, s fedő alatt, mérsékelt lángon puhára pároljuk. Daragaluskával (l. old.) tálaljuk. Karikára vágott zöldséggel díszítjük tálaláskor.

Hajdúsági vegyes szelet

Hozzávalók: *250 g sertéscomb, 250 g sertésmáj, 3 fej vöröshagyma, 2 gerezd fokhagyma, 2 tojás, 12 g liszt, 10 g zsemlemorzsa, 1 csésze tej, só, őrölt bors, majoránna.*

Beat the medaillons lightly and brown well on both sides in hot lard. In a seperate pan, render the fat from the bacon and in this sautée the onions until golden.

Turn the lecsó into the second pan, stir and then add the pork medaillons, the sausage and the garlic. Season to taste and cook thoroughly. Serve with boiled potatoes and salad.

Steak Hortobágy Style

500 gm / 1 lb 2 oz sirloin or rump steak, cut into serving rounds, 100 gm / 4 oz smoked bacon, diced, 100 gm / 4 oz carrots and parsnips, diced, 2 Spanish onions, finely chopped, 100 gm / 4 oz lecsó (see page ...), 1 clove garlic, crushed, 1 tablespoon flour, salt, carraway seeds, paprika

Dip the rounds of meat into flour on both sides and salt them. In a little lard, brown them on both sides lightly. Remove and set aside. Sautée the onions in the same pan until golden. Then add in the lecsó, the bacon dice, the crushed garlic and the rest of the vegetables. Add salt, paprika and a good pinch of carraway seeds.

When all this has cooked, place in the meat and add a little water. Check for salt. Cover and cook until the meat is tender over a moderate heat. Serve with daragaluska (see page ...) and garnish with vegetables.

Pork Chops Hajdú style

250 gm / 9 oz leg of pork, cut into serving rounds, 250 gm / 9 oz pork liver, cut to same size as meat, 3 Spanish onions, finely chopped, 2 cloves garlic, crushed, 2 eggs, beaten, 12 gm / 1/2 oz flour, 10 gm / 1/2 oz breadcrumbs, 1 cup milk, salt, black pepper, majoram

A sertéshúst és a sertésmájat felszeleteljük. A vöröshagymát apróra vágjuk és kevés zsiradékban megpirítjuk, ízesítjük sóval, borssal, szétnyomkodott fokhagymával.

A fűszeres sült hagymát egyenletesen rákenjük a szeletelt húsra, mindegyik hússzeletet leborítjuk szeletelt májjal, az egészet hústűvel összetűzzük. Lisztbe, összehabart egész tojásba, zsemlemorzsába hempergetve panírozzuk, majd forró zsiradékban kisütjük. Héjában sült burgonyával tálaljuk.

Hajdúkáposzta sertésoldalassal

Hozzávalók: *1 kg sertésoldalas, 1 kg savanyúkáposzta, 1 evőkanál cukor, 80 g zsír, 1 babérlevél, törött bors, só, 1 evőkanál liszt.*

A káposztát hideg vízben kimossuk és jól kinyomkodjuk. A sertésoldalast is megmossuk, egyforma darabokra vágjuk, leszárítjuk, megsózzuk és forró zsírban átpirítjuk. Majd kiszedjük a zsírból és félretesszük. A lábosban maradt zsírban megpirítjuk világos színűre a cukrot, rátesszük a káposztát és jól átpirítjuk, majd törött borssal ízesítjük és egy kevés vízzel felengedjük. Beletesszük a babérlevelet, az előre átsütött sertésoldalast. Lefedve, mérsékelt lángon puhára pároljuk. A párolás végére a víznek el kell főnie. Közben megkóstoljuk, ha kell utánasózzuk. Úgy tálaljuk, hogy előbb a káposztát rakjuk fel a tálra, annak tetejébe tesszük a húsdarabokat.

Szegedi fánk
(Móra Ferencné receptje)

Hozzávalók (6 személyre): *1 kg liszt, 150 g vaj, 50 g élesztő, 8 tojássárga, 40 g porcukor, 1 csésze tej.*

A meglangyosított liszt egyharmadát gyúródeszkára tesszük, közepét kimélyítjük. A szétmorzsolt élesztővel és a

Sautée the onions in a little hot lard, seasoning them with salt, black pepper and the crushed garlic. Once the onions are ready, put a layer of onions over each round of meat and cover that with a slice of liver. Fasten each with a skewer, roll in flour, dip into the beaten egg and then the breadcrumbs. Deep fry in hot oil or fat. Serve with potatoes cooked in their jackets.

Hajdú cabbage

1 kg / 2 1/4 lb pork ribs, separated, 1 kg / 2 1/4 lb sauerkraut, 1/2 tablespoon sugar, 80 gm / 3 oz lard, 1 bayleaf, ground black pepper, salt, 1 tablespoon flour

Wash out the sauerkraut. Drain by squeezing hard with the hands.

Salt the meat and brown in hot lard. Remove and set aside. Stir the sugar into the pan juices. Add the sauerkraut, stirring thoroughly. Sautée well. Add in a little black pepper and some water. Finally add the browned pork and the bay leaf. Cover and simmer over moderate heat. Check again for salt. At the very end there should be no liquid left. When serving, make a nest of sauerkraut on each plate and heap the meat on top.

Szeged doughnuts
(Mrs. Ferenc Móra's recipe)

Serves 6: *1 kg / 2 1/4 lb flour, 150 gm / 5 oz butter, 50 gm / 2 oz yeast, 8 egg yolks, 40 gm / 1 1/2 oz castor sugar, 1 cup milk*

Put the flour in a warm place. Crumble the yeast into half of the milk and set aside to rise. Put one third of the

meglangyosított tejjel készült kovászt a liszttel összekeverjük, további tejet adunk hozzá és az egészet jól összedolgozzuk, majd a deszkán letakarva pihenni hagyjuk. A többi lisztet összekeverjük az olvasztott vajjal, ehhez apródonként hozzáadjuk a 8 tojássárgát, a 40 g porcukrot, egy kevés sót és megdagasztjuk úgy, hogy kanállal folyamatosan hozzáadagoljuk a félretett kelesztett tésztát. Amikor az egészet jól összedolgoztuk, ismét pihentetjük. Utána ujjnyi vastagra kinyújtjuk, kiszaggatjuk és a fánkokat bő, forró olajban, mérsékelt tűzön szép pirosra sütjük.

Szegedi tepertőspogácsa

Hozzávalók: *500 g liszt, 250 g jól kisült tepertő, 3 tojás, 30 g élesztő, 3/4 csésze tej, 1 csésze tejfel, 2 kockacukor, só.*

A tejben az élesztőt szétmorzsoljuk, beletesszük a 2 kockacukrot, félretesszük langyos helyre keleszteni. A meglangyosított lisztet a gyúródeszkára tesszük, hozzáadjuk a finomra vágott tepertőt, káveskanálnyi sót, 2 tojás sárgáját, 1 csésze tejfelt, a megfuttatott élesztőt és az egészet egy kevés tej hozzáadásával könnyű tésztává dolgozzuk ki. Rövid pihentetés után háromszor nyújtjuk ki és hajtogatjuk. A harmadik hajtogatás után meleg tállal befedjük és 2 órán át kelni hagyjuk. Amikor jól megkelt, a tésztát kisujjnyi vastagságra kinyújtjuk, kés hegyével barázdás mintát vágunk a tetejébe, pogácsaszaggatóval kiszaggatjuk, majd tepsibe tesszük, a pogácsák tetejét tojással megkenjük. Előmelegített sütőben lassú tűzön megsütjük.

flour on a board and make a whole in the centre. Pour the risen yeast into the hole and work in the flour. Add in the rest of the milk. Leave the dough to rest on the board covered with a kitchen towel and let it rise. Melt the butter and work it into the rest of the flour, adding the 8 egg yolks one by one, then add the castor sugar and a pinch of salt, bit by bit work in the leavened dough. Now set aside to rest again.

Roll out the douth finger-thick on a floured board. Use a pastry cutter to cut out rounds of about 6 cm / 2 inches. Fry these on both sides in plenty of hot oil until golden brown.

Szeged crackling scones

500 gm / 1 lb 2 oz flour, 250 gm / 9 oz crackling (or fat bacon finely chopped, 3 eggs, 20 gm / 1 oz yeast, 3/4 cup milk, luke-warm, 1 cup sour cream, 2 cubes sugar

Put the flour in a warm place. Crumble the yeast into half of the the luke-warm milk, add the sugar and set aside in a warm place to rise. Put the flour on a board, add in the crackling, a teaspoon of salt, 2 egg yolks, the sour' cream and the risen yeast. Work all of it together into a light dough with the rest of the milk. Set aside to rest for a while.

Roll out three times, refolding each time. Cover with a warm dish and leave to rise for 2 hours.

Once risen, roll out the dough finger-thick on a floured board. With a floured knife, score a checkered pattern on the dough. Use a pastry-cutter (or the rim of a small glass) to cut out the scones. Put the scones onto baking tray. Brush them with a beaten egg, place in a pre-heated oven and bake slowly.

Debreceni mézes

Hozzávalók: *4 egész tojás, 100 g cukor, 500 g liszt, sütőpor, 400 g méz, 1 evőkanál őrölt fahéj, 3-4 szem finomra tört szegfűszeg, dióbél vagy mandula.*

A 4 tojást a cukorral habosra keverjük, majd hozzáadjuk a lisztet, a sütőport, a mézet, a fahéjat, a szegfűszeget és alaposan kikeverjük. Kizsírozott tepsibe tesszük, a tészta tetejét apróra vágott dióbéllel vagy mandulával beszórjuk. Előre melegített sütőben, mérsékelt lángon sütjük.

Debreceni perec

Hozzávalók: *200 g liszt, 100 g vaj, 10 g élesztő, só.*

A lisztet gyúródeszkán dörzsöljük össze a vajjal, majd az élesztővel. Hideg sós vizet adunk hozzá, összegyúrjuk és alaposan kidolgozzuk. A tésztából kis pereceket formálunk, tepsibe rakjuk, egy negyedóra hosszat pihentetjük, majd előre melegített sütőben megsütjük, amíg szép színt kap.

Debrecen honey cakes

*4 eggs, 100 gm / 4 oz sugar, 500 gm / 1 lb 2 oz flour,
baking powder, 400 gm / 14 oz honey, 1 tablespoon
ground cinnamon, 3 or 4 cloves, ground, handful of
walnuts or almonds, chopped,*

Beat the eggs and sugar until they are frothy. Mix into
them thoroughly the rest of the ingredients.

Rub a baking tin with butter and pour the mixture into
it. Sprinkle the walnuts or almonds on top. Place in pre-
heated oven and bake in moderate heat.

Debrecen pretzel

*200 gm / 7 oz flour, 100 gm / 4 oz butter, 10 gm / 1/2
oz yeast, salt*

Rub the flour and butter together. Add the crumbled
yeast and some cold salted water. Knead this mixture well.
Take a handful of the dough at a time, roll with your hands
on a floured board into finger thin strips and into small
pretzel forms. Place into a baking tin and leave to rest for
15 minutes.

Place into pre-heated oven and bake until golden.

Az erdélyi konyha

Erdély konyhájára az a kivételes – mondhatnánk úgyis: Európa e részében csodálatra méltó – helyzet nyomta rá bélyegét, amely lehetővé tette népek és vallások egyenjogú, harmonikus együttélését meghatározóan fontos történelmi korszakokban. Amikor a Kárpát-medence más részeiben a török hódítás és a Habsburg uralom osztotta meg a népeket, a Báthoryak és Bocskai István szabadságküzdelmei után, Bethlen Gábor, a "nagy fejedelem" idejében felvirradt Erdély aranykora. A szabadság és a tolerancia kora volt ez: a négy "bevett vallás", a katolikus, református, evangélikus, unitárius teljes jogegyenlőséget élvezett, de szabadon gyakorolhatták görögkeleti hitüket a románok, mózes-hitüket a szombatosok, nemkülönben a zsidók, az utóbbiak közt nem kevesen olyanok is voltak, akik más országokból, az üldöztetések elől vándoroltak Erdélybe, ahol békében élhettek, megtelepedhettek. Erdély gazdasági élete fellendült abban a korban, kultúrája elmélyült, sokszínűvé vált a megtermékenyítő kölcsönhatások révén, amelyek az egymás mellett élő nemzetiségek kultúrájából sugároztak egymás felé. Érdekes, hogy ugyanakkor az egymás szomszédságában – olykor egyazon faluban, városban elvegyülten – élő nemzetiségek konyhája, főzésmódja, megőrizte saját karakterét, ízvilágát. Nem jelenti ez azt, mintha az erdélyi emberek ne értékelték, kedvelték volna egymás főztjét. Ismerték, kedvelték, egy-egy fogását el is készítették olykor. De – és talán ez az "erdélyiség" egyik jellemző vo-

Transylvanian Cooking

Transylvanian cooking has been influenced by the circumstances, which, quite amazingly in this part of Europe, allowed various ethnic groups and religions to exist peacefully side by side during the most important historic eras. In other parts of the Carpathian basin, Turkish invasion and the Habsburg rule divided the peoples; here, after a long struggle for independence led by the Báthory family and later by István Bocskay, there began a golden age in the time of Gábor Bethlen, the great prince regnant of Transylvania. It was a time of freedom and tolerance, the four recognized religions, Catholic, Calvinist, Lutheran and Unitarian, enjoyed absolute equality before the law; liberty of worship was granted also to the Orthodox Rumanians, the Judaic Sabbatarians, as well as to the Jews quite a few of whom had migrated into Transylvania to escape religious persecution, to live and settle there. Magyars, Rumanians, Saxons, Armenians and Jews lived together in such a way that everybody prospered. In those times, Transylvanian economic life flourished, the arts were enriched by the inspiring interaction between the different ethnic cultures living side by side. Interestingly enough, however, the cooking of the ethnic groups living among one another, often in one and the same village, did not intermingle but preserved their own characters and flavours. Not that Transylvanians did not appreciate each other's cooking. They knew of and even prepared each

nása – mindenki őrzi, megkülönbözteti a magáét. Még az erdélyi magyar konyhán belül is vannak árnyalatok: másképpen készítik a toros káposztát Kolozsvárott és másként Marosvásárhelyen, még a sonka pácolásában, a szalonna abálásában és füstölésében is különbségek vannak, akár két szomszéd faluban is!

Az erdélyi magyar konyhának mindamellett vannak közös vonásai, amelyek főzésmódját jellemzik mindenütt. A szelíden pikáns ízeket kedveli általában. Használja persze az olyan alapvető fűszereket, mint a paprika vagy a bors, de többnyire kevéssé csípős paprikával, enyhén fűszerez és – néhány fogás kivételével – csínján bánik a borssal is. Annál bőkezűbben alkalmaz "helyi" fűszereket: illatos füveket, ízesítőket, amelyek megteremnek a ház körül, vagy rétről, patakpartról könnyen begyűjthetők. Szívesen ízesít például tárkonynyal, amely sok erdélyi levesnek, húsételnek ad finom ízeket. A majoránna, kakukkfű, fenyőmag, zsálya, köménymag csakúgy az erdélyi konyha kedvelt ízesítői közé tartozik, mint a borsikafű, a bazsalikom vagy a rozmaring. A lucskos káposztát az erdélyi konyha csomborral és kaporral fűszerezi, nem paprikával. Az ánizst nemcsak likőrnek használja, hanem ízesít vele pogácsákat is.

Ami a főzés technikáját illeti, az erdélyi magyar konyha más magyar régiókhoz hasonlóan vagy rántással sűríti be leveseit, mártásait, vagy tejfeles-lisztes habarást használ. Ám a rántás többnyire vékonyabb, mint az alföldi konyhában, hasonlóképpen a másféle sűrítés is. Ennek következtében könnyebbé, kevésbé kalóriadússá válik némely fogása. Spk gyümölcsöt, zöldségfélét használ, ami az étkezést ugyancsak könnyíti, frissíti. A gyümölcslevesek skálája szinte végtelen, a barack- vagy szilvaleves ugyanolyan kedvelt, mint a ribiszkéből, cseresznyéből való leves. Szívesen látott kísérője a húsoknak a különféle gyümölcsökből készült mártás. Savanyításhoz is gyümölcs alapú eceteket használ

other's dishes from time to time. But, and perhaps this is a typical feature of being Transylvanian, everyone feels and distinguishes between his own and the others. There are variations within Transylvanian cuisine; thus toros káposzta, the sour cabbage dish prepared at the time of the annual pig-killing, is cooked differently in the two big Transylvanian cities of Kolozsvár and Marosvásárhely. Similarly, while ham is marinated, bacon is parboiled and smoked differently even in two neighbouring villages.

Nevertheless, Transylvanian cooking has typical features common all over the region. Generally mildly piquant flavours are preferred. Naturally, basic spices like red paprika or black pepper are used, but the paprika is not very hot and, except for certain dishes, pepper is added only in small quantities. Instead, there is a lavish use of the local herbs which grow around the house or wild in the meadows or on the banks of streams. Tarragon, for example, is used to flavour a number of Transylvanian soups and meat dishes. Other favourite herbs are marjoram, thyme, juniper, sage, caraway seeds just like golden cress, basil and rosemary. Sour cabbage in Transylvanian is seasoned with garden cress and dill, not with red paprika as elsewhere. Aniseed is not only used to make liqueur but also to flavour scones.

As for cooking techniques, Transylvanian Hungarians, just as in other regions, use a roux made of flour and lard or flour and sour cream to thicken soups and sauces. However, all kinds of thickening are lighter than on the Great Plain. Consequently some dishes are lighter and lower in calories. Much use is made of different fruits and vegetables, which also results in fresher, lighter dishes. The choice of fruit soups is very wide, peach or plum soup being just as popular as red currant or cherry soup. A favourite sauce to go with meat is one made of various fruits. Transylvanian Hungarians prefer to use fruit vine

az erdélyi magyar konyha legszívesebben: a borecet mellett az almaecet a legkedveltebb savanyítója; kiemelt helyen kell szólni a finom tárkonyecetről, amely ma már nemcsak Erdélyben népszerű, hanem onnan indulva bevonult a magyar konyhákba, mindenütt.

A szászok jó ízekkel gazdagították Erdély konyháját, sőt az egész magyar főzésmódot is, ha arra gondolunk, hogy a magyar konyha egyik legnépszerűbb fogása, a flekken valójában tőlük származik. Alighanem páldájuk nyomán sütötték a székelyek faszénparázson a flekken helyi változatát, a marosvásárhelyi kofapecsenyét. Magyarországon már ismét flekken néven kedvelték meg a friss pecsenye hívei. Valószínű, hogy a káposzta savanyításának, a belőle készült ételek főzésének is a szász szakácsok voltak a mesterei eredetileg. Bethlen Gábor fejedelem egyik levelében a szebeni jóízű szász káposztáról ír, amit igen megkedvelt, s ez az előbb említett feltevést látszik alátámasztani. A kolozsvári töltött káposzta receptje már Misztótfalusi Kis Miklós 1695-ben kiadott szakácskönyvében megtalálható, de volt ugyanakkor szász módra készült káposzta – Kohlkächen – is, sőt ismeretes egy kukoricakásával és szalonnával töltött változat is, amely az erdélyi román specialitások közé tartozik.

A puliszka sokféle változatban fordul elő az erdélyi román konyha fogásai közt: bundázva például, vagy füstölt hallal ízesítve. Ám tévedés volna a román konyháról csak a puliszkát emlegetni: olyan fogások is belőle eredeztethetők, mint a tokány, amely nemcsak az erdélyi, de az egész magyar konyha kedvelt fogása lett. Megtalálhatók az erdélyi ételek közt az örmények, a szombatosok ételei is: a dióból és mákból készült örmény édesség, a dalaúzi, búcsúkban és vásárokon árusított csemege. A szombatosok tejfellel és fokhagymával ízesített paszulylevese, amelybe füstölt libamellet főznek, a legjobb bablevesek közé tartozik világviszonylatban is.

gars for pickling; along with wine vinegar their favourite is apple vinegar, but also very important is a fine vinegar flavoured with tarragon. Which has become more generally used in Hungarian cooking everywhere.

The Saxons of Transylvania contributed with lovely flavours not only to Transylvanian but also to Hungarian cooking as a whole; flekken, a grilled pork dish, one of the most popular dishes in Hungarian cooking, originated in Saxon kitchens and is a case in point. Presumably the local Szeklers (a Hungarian ethnic group) learned from them how to make, over charcoal embers, the local variation of flekken, called marketwoman's roast (marosvásári kofapecsenye). When this dish arrived into Hungary, it resumed the name flekken again. It is also probable that Saxon cooks were the first masters of sauerkraut and of the preparation of dishes with it. This seems to be proved by a letter in which Prince Gábor Bethlen gives an account of the tasty Saxon cabbage in the Saxon town of Szeben, which he became very fond of. The recipe for stuffed cabbage in the Kolozsvár way was included in a cookery book in 1695, by Miklós Misztótfalusi Kis; however there existed at that time cabbage made in the Saxon way, called Kohlkächen, and also a variation where the stuffing was made of corn-meal mush and and bacon, this latter a speciality of the Transylvanian Rumanians.

Puliszka, a kind of corn porridge, is prepared in a number of ways for various dishes in Rumanian kitchens; even fried in breadcrumbs with smoked fish. Still, it would be a mistake to mention only puliszka when speaking of Rumanian cooking. Among the contributions it made to Transylvanian, and even to present Hungarian cooking, are dishes like tokány, a kind of pork and vegetable stew, which is so popular today. Transylvanian dishes also include Armenian and Sabbatarian dishes as well, like dalauzi, the Armenian dessert made from walnuts and poppy seed,

De térjünk vissza az erdélyi magyar konyhához, amely számunkra a legfontosabb, hiszen főzésmódja, jeles fogásai elterjedtek és népszerűekké váltak messze Erdély határain túl, szerte az egész világon, ahol csak ismerik, kedvelik a magyar ízeket. Nem túlzás talán, amit napjaink Brillat Savarin-je, a magyar származású brit gasztronómus, Rónay Egon mond: hogy a világon három nagy főzésmód létezik, a francia, amely az egész nyugati világot uralja, a kínai, amely sokévezredes múltjával, árnyalatosságával, finomságával egy külön gasztronómiai univerzumot alkot és az erdélyi, amely az előbbi kettővel egyenjogú.

Nem lehet csodálat nélkül belelapozni a régi erdélyi szakácskönyvekbe, oly kifinomult ízlés, változatosság tárul elénk belőlük, amellyel valóban csak a világ legnagyobb konyhái rendelkeznek. Az erdélyi fejedelem udvari szakácskönyve a 16. századból, amelyet Radvánszky Béla adott ki 1893-ban, mintegy nyolcszáz étel receptjét tartalmazza. Ezek közül 266 húsféle, 210 halféle, 17 rákból és csigából készült étel, 13 tojásból, 27 gombából, 14 saláta, 27 főzelék, 21 mártás, 94 sütemény és tortaféle. Már a fogások nagy száma, változatossága is sokat mond – hát még ha szemügyre vesszük a bennük említett alapanyagok sokféleségét, a külföldről importált fűszereket, tengeri halakat, rákokat, az egzotikus gyümölcsöket. Persze, mondhatná valaki, a fejedelmi konyha gazdagsága aligha jellemző az alattvalók étkezésére is. Ám minden jel arra vall, hogy – amint ez a világ más részeiben is megtörtént már – a fejedelmi példát előbb a nemesi udvarházakban, majd a polgári otthonokban is követték: a kifinomultabb főzésmód mind szélesebb körben hódított. Apor Péter a 17. század vége felé már a régebbi, egyszerű táplálkozással gúnyosan állítja szembe az újat, a "nájmódit", ami nemigen ízlett a konzervatív öregúr ínyének, úgy tűnik. Ám az erdélyi magyar konyha éppen attól lett oly kifinomultan ízletes, hogy a magyar ízlés jegyében szívta fel magába a francia, a né-

144

Erdély, Transylvania,
Körösfeketetó

150. oldal
p. 151

Meggyleves
Sour cherry soup

152. oldal
p. 153

Kolozsvári rakott
káposzta

Kolozsvár layered
cabbage

154. oldal
p. 155

Tordai lacipecsenye

Pork chops Torda style

156. oldal
p. 157

Székely ürüborda
Szekler mutton chops

156. oldal
p. 157

Csuka dióval töltve

Pike stuffed with
walnuts

158. oldal
p. 159

Juhtúrós puliszka
Ewe curd dumplings

158. oldal
p. 159

Rakott túrós tészta
Layered ewe curd pasta

which is a delicacy sold at patron-saint festivals and markets. The bean soup made by the Sabbatarians with sour cream, garlic and with smoked goose breasts is one of the greatest of all the world's beansoups.

But let us return to Transylvanian Hungarian cooking, the most important for us here, as its techniques and best dishes have spread far beyond the Transylvanian borders and are popular everywhere where Hungarian cooking is practised. Perhaps it was no exaggeration when Egon Rónay, the Hungarian-born British gastronomer, the Brillat Savarin of our days, said that there are three major cuisines in the world, the French which dominates the western world, the Chinese, which with its many thousands of years of tradition and delicate nuances is a gastronomical universe of its own, and the Transylvanian, which is the equal of the other two in quality.

It is literally amazing to leaf through old Transylvanian cookery books; they show a refinement of taste and a variety which is found only in the greatest kitchens in the world. The court cookery book of a Transylvanian prince of the 16th century, published by Béla Radvánszky in 1893, gives the recipes for some eight hundred dishes. These include 266 meat dishes, 210 fish dishes, 17 of crayfish and snails, 13 egg dishes, 27 mushroom dishes, 14 salad, 27 vegetable, 21 sauce recipes and 94 cakes and desserts. The number and the choice alone of these dishes tells a great deal, even more so if the various ingredients, the imported spices, the seafish and crabs, the exotic fruits are considered. Naturally, you may object, the richness of the prince's kitchen could hardly have been typical of what his subjects were eating. However, from what we know it seems that, as in other parts of the world, the prince's example was followed first in noble homes and later in burgher families. The refined way of cooking conquered wider and wider circles. At the end of the 17th

met és a keleti hatásokat. Bornemisza Anna fejedelemasz-
szony szakácskönyvében, amely közel nyolc évtizeddel ké-
sőbb jelent meg az előbb említettnél, már az erdélyi főzés-
mód káprázatos továbbfejlődésének jeleit látjuk. A fejede-
lemasszony udvari szakácsa már 1646 étel receptjét ismeri,
írja le Csupán az ökörhús elkészítésének nyolcvanhárom
válfaját ismerteti. Borjúból ötvenkilencféle fogást ír le, bá-
rányhúsból huszonnyolcféle változatot. A szarvashúst har-
minchétféleképpen, a vadludat tizennyolc, a szelíd ludat
huszonkilenc, a kappant negyvennégyféleképpen tudta el-
készíteni a fejedelemasszony szakácsmestere. A legtöbb fo-
gás a magyaros ízek jegyében készült, de szerepelnek az ét-
renden olasz, spanyol, francia, lengyel fogások is, sőt egy-
néhány angol, holland, török eledel is felbukkan a szakács-
könyvben. Nem egy fogásnál megjegyzi a szakácsmester
"így szeretik a magyar és lengyel urak" vagy "a török úgy
szereti". Mégis, a szakácskönyv minden sorából kitűnik,
hogy az erdélyi konyha alapvetően *magyar* volt a hajdani
szakácsmester idejében. Nemcsak azért, mert az ételek
többségéhez fűzi azt, hogy "a magyar urak így szeretik", ha-
nem sokkalta inkább annak okán, hogy még az idegenből
származó recepteket is magyaros ízekkel ötvözi. Valóban –
ez jellemzi az erdélyi konyhát azóta is.

century a public figure, Péter Apor, compared the older, simpler diet rather ironically to the new style, which did not much appeal to the taste of the conservative old man. But Transylvanian Hungarian cooking became so delicate precisely because it absorbed French, German and eastern influences by filtering them through the traditions of Hungarian cuisine. The cookery book of Princess Anna Bornemisza, published almost eighty years later than the one already mentioned, is clear proof of the fantastic development in Transylvanian cooking. The Princess's court chef knew and listed the recipes of 1,646 dishes. For ox-meat alone he gives 83 methods of preparation. There are 59 veal dishes, 28 variations for lamb. He could prepare deer in 37, wild goose in 18, domestic goose in 29 and coapon in 44 ways. Most of the dishes show the taste of Hungarians, but there are foreign dishes included as well, such as Italian, Spanish, French and Polish specialities; even some English, Dutch and Turkish dishes can be found in the book. The chef occasionally made notes such as "this is the way the Hungarian and Polish gentlemen like it", or "Turkish people like it this way". Nevertheless, it is clear from every single line in the book that Transylvanian cooking was essentially Hungarian in the time of the great master cook. Not only because he made most dishes "the way Hungarian gentlemen like it", but rather because even his foreign recipes are combined with Hungarian flavours. Truly, this is typical of Transylvanian cooking even today.

RECEPTEK

Kaporleves

Hozzávalók: *1 evőkanál zsír, 1 evőkanál liszt, 3 keménytojás, 1 tojássárgája, 1 csésze tejfel, 1 csomó kapor, só.*

Rántást készítünk, az előzőleg felvágott kaprot beletesszük, vízzel felengedjük (kb. másfél literrel). Ízesítjük sóval, majd forraljuk néhány percig.

A nyers tojássárgáját elkeverjük a tejfellel abban a tálban, amiben a levest asztalra kívánjuk adni. Az előzőleg megfőzött keménytojásokat kockákra vágva a tálba tesszük a tojásos tejfelhez, majd a levest kanállal rámeregetjük. (Nem szabad hirtelen ráönteni, mert a tejfel összecsomósodhat.)

Tárkonyleves székelyesen

Hozzávalók: *1 evőkanál vaj, 1 evőkanál liszt, 2 evőkanál tejfel, 1 tojás, zöld tárkony, só, 2 evőkanál tej, ecet.*

A tárkonyt apróra vágjuk. A vajból és lisztből világos rántást készítünk, feleresztjük vízzel és kevés meleg tejjel. Sóval ízesítjük, tovább főzzük néhány percig. Ecettel ízlés szerint kissé megsavanyítjuk. A levesestálba tejfellel elhabart tojássárgáját teszünk, erre öntjük rá a forró levest, s úgy tálaljuk. Pirított zsemlekockát adunk hozzá betétnek.

Bableves szombatos módra

Hozzávalók: *500 g szárazbab, füstölt marhanyelv vagy füstölt libamell, 1 fej vöröshagyma, 1 kg marhacsont,*

RECIPES

Dill soup

1 tablespoon lard, 1 tablespoon flour, 3 eggs, hard boiled and diced, 1 egg yolk, 1 cup sour cream, handful of fresh dill, chopped, salt

Make a roux with the lard and the flour, add the dill and dilute wiht about 1 1/2 litre or 2 1/2 pint water. Salt and let it boil for some minutes.

Mix the egg yolk with the sour cream in the tureen, add the hard boiled eggs and ladle the hot soup on a little at a time so as not to make the sour cream curd.

Tarragon soup, Transylvanian style

1 tablespoon butter, 1 tablespoon flour, 2 tablespoons sour cream, 1 egg, fresh tarragon, finely chopped, salt, 2 tablespoons milk, vinegar

Make a roux with the butter and flour, add the tarragon and dilute with water and a little warm milk. Salt and cook for some more minutes. Flavour with vinegar to taste. Mix the egg yolk with the sour cream in the tureen and ladle the hot soup on it. Serve over croutons in the soup-bowls.

Bean soup, Sabbatarian style

50 gm/1 lb 2 oz beans, 1 smoked ox-tongue or smoked breast of goose, 1 Spanish onion, finely chopped, 1 kg/2 1/4 lb beef bones, salt, pepper, 2 tablespoons flour, 200 gm/7 oz sour cream, 1 egg, 2 tablespoons lard, 1 clove garlic, crushed

só, bors, tárkony, 2 evőkanál liszt, 200 g tejfel, 1 tojás, 2 evőkanál zsír, 1 gerezd fokhagyma.

A babot előző nap vízben beáztatjuk. Készítéskor a csontlébe tesszük fel főni, mikor valamelyest főtt már, hozzáadjuk a füstölt húst vagy a libamellet és együtt főzzük tovább. A vöröshagymát eközben apróra vágjuk, zsíron aranyszínűre megpirítjuk, hozzáadjuk a fokhagymát késhegyével megtörve, az egészet hozzáadjuk a leveshez.

Mikor a bab már jól átfőtt, rántást készítünk, amelybe az apróra vágott tárkonyt is beleadjuk, sóval, borssal ízesítjük. A rántással a levest berántjuk, majd az egészet készre főzzük.

Betétnek csipetkét adunk hozzá (l. 22. old.)

Meggyleves

Hozzávalók: *500 g meggy kimagozva, 150 g cukor, só, fahéj.*

Feltesszük a meggyet sóval, citromhéjjal, fahéjjal, cukorral ízesített másfél liter vízben főni. Néhány percnyi fővés után a tejfelben simára kevert liszttel besűrítjük. Néhány percig még tovább forraljuk. Legjobb behűtve tálalni, kitűnő nyári leves.

Tüdőleves

Hozzávalók: *500 g marhatüdő, 1 evőkanál olaj, 1 evőkanál liszt, 1 gerezd fokhagyma, metélőhagyma, 2 szál levesgyökér.*

A tüdőt kifőzzük csontlében, kivesszük a léből és mikor kihűlt, megdaráljuk. Olajból, lisztből fokhagymás mártást

150

Soak the beans ovenight. Make a stock from the bones and cook the beans in the stock. When half cooked add the smoked meat. Meanwhile sautée the onion in lard, add the garlic and stir this into the soup. When the beans are cooked make a roux from the flour and the lard and flavour with tarragon, salt and pepper. Thicken the soup with this roux bring it to the boil again before serving. Serve with csipetke (see P. 23.)

Sour cherry soup

500 gm/1 lb 2 oz sour cherries, stoned, 150 gm/5 oz sugar, salt, pinch of cinnamon, lemon peel, 10 cl/1/2 cup sour cream, 1 teaspoon flour,

Cook the sour cherries in water (about 1 1/2 litre / 2 1/2 pints) with the salt, lemon peel, cinnamon and sugar. After cooking for some minutes thicken the soup with the flour mixed with the sour cream. Bring to the boil again and cook for a further 3-4 minutes. Let cool and then chill. A pleasant and refreshing summer soup when served chilled.

Beef lights soup

500 gm/1 lb 2 oz beef lights, 1 tablespoon oil, 1 tablespoon flour, 1 clove garlic, 1 tablespoon chives, chopped, 2 turnips

Cook the lights and the turnips in stock. When cooked take them out of the liquid, let them cool and mince them keeping the liquid. Make a roux from the oil, flour and garlic and dilute with the cooking liquid. When the turnips are cold, dice them and add to the soup together with the lights. Add the chives when serving.

készítünk, a csontlével felengedjük. Az időközben kifőtt gyökeret kockákra vágva hozzáadjuk. A metélőhagymát finomra vágjuk és tálaláskor a levest megszórjuk vele.

Lencsepüréleves fogollyal

Hozzávalók: *1 fogoly, 200 g lencse, 1 zeller, 1 szelet sonka, 1 evőkanál vaj, 3 evőkanál liszt, só, bors.*

A megtisztított foglyot puhára főzzük, levét leszűrjük és kiszedjük a léből. Az előző este beáztatott lencsét megfőzzük, mikor teljesen puhára főtt, leszűrjük és átpasszírozzuk. A zellert karikára vágjuk, a vajat megforrósítjuk és benne a zellert és a sonkát megpirítjuk. Kevés lisztet adunk hozzá, elkeverjük, továbbpirítjuk, majd a húslével feleresztjük. Felforraljuk, átpasszírozzuk ezt is, majd összekeverjük a passzírozott lencsével. Feleresztjük a húslével, még egy fél órát forraljuk gyenge lángon. Utána ízesítjük, majd beletesszük a főtt fogolyhúst és így tálaljuk. Pirított zsemlekockákat adhatunk betétnek.

Kolozsvári rakott káposzta

Hozzávalók: *600 g sertéshús, 1 kg savanyú káposzta, 100 g rizs, 150 g vöröshagyma, só, törött bors, csombor, 1 csomó kapor, pirospaprika, 300 g tejfel, 100 g füstölt szalonna, 100 g zsiradék.*

A sertéshúst megdaráljuk, a szalonnát apró kockákra vágjuk és zsírban üvegesre hevítjük. Hozzáadjuk a finomra vágott hagymát és aranysárgára pirítjuk. A darált húst a hagymához adjuk és addig pirítjuk, míg a hő hatására megfehéredik. Ezután rámorzsoljuk a csombor felét, sóval és törött borssal ízesítjük, meghintjük pirospaprikával, kissé

Lentil purée soup with quail

1 quail, 200 gm/7 oz lentils, 1 celeriac, sliced, 1 slice ham, 1 tablespoon butter, 2 tablespoons flour, salt, pepper

Soak the lentils overnight. Clean the quail and cook until tender in salted water. Drain and reserve the liquid. Cook the lentils until tender, drain and pass them through a sieve. Heat the butter and sautée the ham and the celeriac in it. Add a little flour; brown it, stirring continuously, then dilute with half of the quail liquid. Bring it to the boil, then put this through a sieve as well and mix with the puréed lentils. Add the rest of the liquid, simmer for another 30 minutes over low heat. Correct for salt and pepper, add the quail and serve with croutons.

Kolozsvár layered cabbage

600 gm/1 1/3 pounds minced pork, 1 kg/2 1/4 lb sauerkraut, 100 gm/4 oz cooked rice, 150 gm/5 oz Spanish onion, salt, black pepper, savory, handfull fresh dill chopped, 1 teaspoon paprika, 300 gm/11 oz sour cream, 100 gm/4 oz smoked bacon, 100 gm 4 oz lard

Dice the bacon and cook it in half of the lard until transparent. Add the onion and sautée to a golden colour. Mix in the minced pork and sautée until the meat turns white. Add half of the savory, flavour with salt, pepper and paprika, let it brown a little, then add a glass of water and let it simmer for about 15 minutes.

Rinse the sauerkraut in water, squeezing out the extra

megpirítjuk, majd egy pohár vízzel felengedjük és hagyjuk párolódni negyed óra hosszat.

A savanyú káposztát vízben kimossuk, a vizet kinyomkodjuk és összekeverjük a vágott kaporral és a csombor másik felével.

A rizst eközben megpároljuk.

Egy tűzálló tálat, esetleg lábost vagy magas falú tepsit veszünk, abba a savanyú káposzta felét belerakjuk egyenletes rétegben. Rátesszük a párolt rizs felét, erre a megpirított hús kerül, ezt is elegyengetjük, majd betakarjuk a visszamaradt rizzsel. Rátesszük a maradék káposztát a tetejére, majd a tejfelt – amibe sót és pirospaprikát kevertünk – ráöntjük. Villával kissé megmozgatjuk a masszát, hogy a tejfel átcsurogjon az aljáig, aztán ráöntjük a maradék zsiradékot is, megolvasztva, majd sütőben, közepes lángon az egészet puhára sütjük.

Tordai lacipecsenye

Hozzávalók: *800 g bőrös sertéskaraj, 500 g savanyú káposzta, só, törött bors, 2 gerezd fokhagyma, csombor, kapor, 150 g olaj.*

A savanyú káposztát kimossuk, a vizet kinyomkodjuk belőle. Ízesítjük sóval, törött borssal, csomborral, vágott kaporral, majd összekeverjük 50 g olajjal. Hűtőszekrénybe tesszük.

A bőrös sertéskarajt egyforma szeletekre vágjuk. Minden szeletet a közepén csontig bevágunk, hogy szét tudjuk nyitni. Mikor felnyitottuk, deszkára terítve húsverővel kissé meglazítjuk. A bőrös részt éles késsel bevagdossuk úgy, hogy a vágások egymástól ujjnyi távolságra essenek. Ezután a hússzeleteket sóval, törött borssal bedörzsöljük, majd forró olajban pirosra sütjük.

A frissen sült húst a behűtött salátával körítve tálaljuk.

154

water with your hands and mix in the dill and the other half of the savory. Put half of the sauerkraut into an oven-proof dish, a pan or a deep baking-tin, cover it with half of the rice, then comes the sautéed meat, another layer of rice and finally the other half of the sauerkraut. Mix the sour cream with some salt and paprika and top the sauerkraut with it. Stick a fork into the cabage at a few places to let the sour cream get between the layers, then pour over the rest of the melted lard as well. Place it into a moderate oven and bake it until tender.

Pork chops Torda style

800 gm/1 3/4 lb unskinned pork chops, 500 gm/1 lb 2 oz sauerkraut, salt, ground black pepper, 2 cloves garlic, savory, handful of fresh dill, chopped, 150 gm/5 oz oil

Rinse the sauerkraut and press the water out with your hands. Season with salt, pepper, savory and dill, then mix with 50 gm / 2 oz oil. Refrigerate. Slice the pork chops evenly. In every slice make an incision the whole length of the slice towards the bone so that they can be opened. Beat them slightly, then make several incisions with a sharp knife in the skin about half an inch from one another. Rub the chops with salt and pepper and fry them in hot oil. Serve hot with the cooled sauerkraut.

Székely ürüborda

Hozzávalók: *800 g ürüborda, 400 g friss paradicsom, 600 g zöldbab, 1 evőkanál liszt, 150 g zsiradék (vaj vagy margarin), só, törött bors, 2 gerezd fokhagyma, 1 csomó petrezselyemzöldje.*

Az ürübordát előkészítjük a sütésre, sóval, borssal bedörzsöljük. A paradicsomot forró vízzel leforrázzuk, megtisztítjuk, kettévágjuk, magjait kinyomkodjuk, majd kockákra felvágjuk. A zöldbabot felvágjuk 2 ujjnyi darabokra és sós vízben megfőzzük. A paradicsomot zsiradékban megpirítjuk, sóval, törött borssal, a szétnyomkodott fokhagymával ízesítjük, hozzáadjuk a finomra vágott petrezselyemzöldjét is. Eközben a maradék zsiradékban megsütjük a bordákat. Ügyeljünk, hogy a csont mellett is jól átsüljenek!

A forrásban lévő paradicsomhoz adjuk a főtt zöldbabot, összekeverjük, utánaízesítjük.

A sült bordákat tálra helyezzük és a paradicsomos zöldbabbal körítjük.

Csuka dióval töltve

Hozzávalók: *kb. 1 kg súlyú csuka, 1 zsemle, fél citrom, 200 g tej, 100 g dióbél, 2 tojás, 200 g vaj, 1 csésze tejfel, só, bors, majoranna.*

A zsemlét beáztatjuk tejben, majd kinyomkodjuk és hozzáadunk 2 tojássárgát, a dióbelet darálva, a majoránnát, sót és törött borsot ízlés szerint. A tojások fehérjét habbá verjük és óvatosan hozzákeverjük.

A halat megtisztítjuk, a tölteléket a felnyitott hasüregbe rakjuk, majd összetűzzük a halat és kivajazott tepsiben, sütőben szép pirosra sütjük. Szeletekre felvágjuk, tálba rakjuk. A hal levét tejfellel besűrítjük, ezzel a mártással adjuk asztalra.

Szekler mutton chops

800 gm/1 3/4 lb mutton chops, 400 gm/14 oz fresh tomatoes, skinned, seeded and diced, 600 gm/1 1/3 lb cooked French beans, sliced into inch-long pieces, 1 tablespoon flour, 150 gm/5 oz lard, butter or margarine, salt, ground black pepper, 2 cloves garlic, crushed, handful of parsley, chopped

Rub the mutton chops with salt and pepper. Sautée the tomatoes in a little lard, flavour with salt, pepper and garlic. Add the parsley. Fry the chops in the rest of the lard. Prick the chops near the bone to see if they have cooked.

Add the French beans to the cooking tomatoes, mix well and check the flavouring.

Place the fried chops in a serving plate and garnish with the vegetables.

Pike stuffed with walnuts

1 pike about 1 kg/2 oz, 1-2 slices of white bread, crust removed, 1/2 lemon, 200 cl/1/3 pint milk, 100 gm/4 oz walnuts, ground, 2 eggs, 200 gm/7 oz butter, 1 cup sour cream, salt, ground black pepper, marjoram

Soak the bread in milk then squeeze out the liquid and crumble it into a dish. Add the yolks of the eggs, walnuts, marjoram, salt and pepper to taste. Beat the egg whites and fold in with the mixture.

Clean and scale the fish, stuff it with the filling and fix it with a skewer. Rub a baking tin with butter and bake the fish until it gets a nice red colour. Cut it into slices and place on a serving plate. Serve topped with the juice of the fish thickened with sour cream.

Juhtúrós puliszka

Hozzávalók: *500 g kukoricaliszt, 150 g füstölt szalonna, 250 g juhtúró, 1 evőkanál vaj, 1 evőkanál zsír, só.*

A kukoricalisztet sós vízben sűrűre főzzük. Habverővel keverjük, amíg megsűrűsödik és édeskés illatot kap. A főtt puliszkát forró vajba mártott kanállal tűzálló tálba szaggatjuk, a galuskarétegekre juhtúrót teszünk, majd kockákra vágott, pirított szalonnát hintünk rá, úgy tálaljuk.

Rakott túrós tészta

Hozzávalók: *laskatészta (l. 60. old.), 200 g juhtúró, zöld kapor, 200 g tejfel, 2 evőkanál libazsír.*

A laskatésztát sós vízben kifőzzük, szűrőben lecsurgatjuk róla a vizet, majd langyos zsírban megforgatjuk. A főtt tésztából egy réteget tűzálló edénybe teszünk, erre egy réteg juhtúrót terítünk, finomra vágott kaporral meghintjük, tejfellel és libazsírral meglocsoljuk. Újabb tésztaréteget teszünk rá, majd ismét túróval fedjük be. A tűzálló edényt sütőbe tesszük és mérsékelt lángon megsütjük, amíg a teteje szép piros lesz.

Kukoricamálé

Hozzávalók: *1500 g kukoricaliszt, 2 liter tej, 3 tojás, 3 evőkanál porcukor, 1 evőkanál vaj.*

A tejet megforrósítjuk, ráöntjük a lisztre. Kavargassuk, amíg az egészet összedolgoztuk. Hozzáadjuk a tojásokat, a

Ewe curd dumplings

500 gm/1 lb 2 oz maize flour, 150 gm/5 oz smoked bacon, diced and fried in lard, 250 gm/9 oz ewe curd, 1 tablespoon butter, 1 tablespoon lard, salt

Cook the maize flour in salted water to make a thick pulp stirring it with a whisk until it thickens and has a sweetish smell. Take it off the heat, dip a tablespoon into hot butter and spoon pieces of the puliszka into an oven-proof dish. Sprinkle with a layer of ewe curd and serve with the bacon on top.

Layered ewe curd pasta

Flat pasta (see p. 61.), 200 gm/7 oz ewe curd, handful of fresh dill, finely chopped, 200 gm/7 oz sour cream, 2 tablespoons goose fat

Cook the flat pasta in salted water, drain and turn into lard warmed in a pan. Place a layer of the pasta into an oven-proof dish, cover with a layer of ewe curd, sprinkle with some dill, sour cream and a tablespoon of goose fat. Continue with another layer of pasta and ewe curd, then put the dish into a moderate oven and bake until the top gets a nice golden colour.

Maize flour cake

1500 gm/3 lb 6 oz maize flour, 2 litres/3 1/2 pint milk, 3 eggs, 3 tablespoons castor sugar, 1 tablespoon butter

Heat the milk and pour over the maize flour. Stir and mix well. Add the eggs, butter and sugar and work to

vajat, a cukrot. Összedolgozzuk, majd egy sütőlapot vajjal megkenünk, ráöntjük és mérsékelt lángon a sütőben megsütjük.

Vargabéles

Hozzávalók: *200 g liszt, 200 g vaj, 6 tojás, 1 kg tehéntúró, 300 g cukor, 200 g tejfel, 100 g mazsola, vanília, citromhéj.*

Lisztből, olvasztott vajból kevés vízzel, csipetnyi sóval rétestésztát készítünk (l. 66. old.). Pihentetjük fél óra hosszat, majd vékonyra kihúzzuk, széleit levágjuk, ismét pihentetjük.

A tésztát olvasztott vajjal megfröcsköljük, egy kivajazott tepsit a rétestésztával négysorosan kibélelünk, miközben mindegyik rétesréteget olvasztott vajjal meglocsoljuk.

Lisztből, 1 tojásból kis sóval, kevés vízzel tésztát gyúrunk. Lisztezett gyúródeszkán kinyújtjuk, felvágjuk (vagy tépő mozdulattal szaggatjuk) ujjnyi darabokra. Az így készített tésztát sós vízben kifőzzük, leszűrjük, öblítjük, majd olvasztott vajban meghempergetjük.

A túrót szitán áttörjük, hozzáadunk 5 tojássárgáját, cukrot, tejfelt, mazsolát, beledolgozzuk a maradék vajat, hozzáadjuk a vaníliát. Hozzákeverjük a főtt laskatésztát is. Eközben a tojások fehérjéből kemény habot verünk, s hozzáadjuk ezt is a túrós keverékhez. Az egészet a tepsiben lévő rétestésztára tesszük, majd előmelegített sütőben megsütjük.

Kivesszük a kész tésztát a sütőből, néhány percig állni hagyjuk, majd meghintjük vaníliás cukorral. Melegen tálaljuk.

160

gether well. Rub a baking tin with butter and pour the mixture into it. Put it into a moderate oven and bake it.

Vargabéles

200 gm/7 oz flour, 200 gm/7 oz butter, 6 eggs, 1 kg/2 lb 4 oz curd cheese, 300 gm/11 oz sugar, 200 gm/7 oz sour cream, 100 gm/4 oz raisins, 10 gm/2 teaspoons vanilla sugar, lemon peel,

Make a dough as for rétes (see p. 67.), with flour, melted butter, a little water and a pinch of salt. Set it aside for half an hour, stretch it very thin, cut off the thick edges and let it rest again. Rub a baking tin with butter and put four layers of the dough into it, brushing all of them with melted butter. Knead a stiff dough with flour, one egg, a pinch of salt and a little water. Roll it out on a floured baking board and cut them (or tear them) into fingerlength piaces. Cook this pasta in salted water, drain and roll it in melted butter.

Pass the curd cheese through a sieve, add 5 egg yolks, the sugar, sour cream and raisins, work in the rest of the butter and half of the vanilla sugar. Mix in the cooked pasta as well. Beat the egg whites and fork in with the mixture. Pour it all on the layers of rétes dough in the baking tin and bake it in a pre-heated oven. When the pastry is baked take it out of the oven and let it stand for a couple of minutes, then top it with the rest of the vanilla sugar. Serve hot.

161

Mézes-zsíros kakas

Hozzávalók: 100 g méz, 2 evőkanál zsír, 1 liter pattogatott kukorica.

A mézet lassú lángon hevítjük, hozzáadjuk zsírt, tovább melegítjük, s közben hozzákeverjük a pattogatott kukoricát is. Mikor a kukorica az egész mézes zsírt felszívta magába, kiöntjük egy deszkára és gombócokat készítünk belőle. (A kezet meg kell vizesíteni eközben, hogy a kukorica ne ragadjon rá.)

Honey balls

100 gm/4 oz honey, 2 tablespoons lard, 1 litre/1 1/3 pint popcorn

Heat the honey slowly over a low flame, add the lard and stir in the popcorn. When the popcorn has soaked up the honey and lard mixture pour it out on a baking board and form balls with wet hands.

Délvidéki ízek

Magyarország déli részeiben sok helyütt találkozni olyan főzési szokásokkal, amelyek a bácskai, bánáti főzésmóddal rokoníthatók. A Mohács, Siklós, Pécs vidéken élő sokácok egyik kedvenc fogása, a zöldséges füstölthúsleves valójában két fogás: a húslevesben a zöldségen kívül egészben hagyott krumplikat, füstölt húst főznek, s mikor az egész jól átfőtt, külön-külön tálalják a levest, benne metélt tésztával, majd utána, második fogásként, a füstölt húst, a benne főtt krumplival. A rétes készítésének valóságos mesterei a sokácok: készítik túrósan, mákosan, de kedvelik az almás cseresznyés, meggyes rétest is. Réztepsiben, kemencében sütik a hagyományőrző falvakban, ettől különösen finom ízt kap. A rétestésztából készítenek másféle süteményt is, a závezotát. Ehhez a kihúzott rétestészta két szélén hosszú csíkokban grízt halmoznak fel, majd cukorral megszórják és zsírban pirított hagymakockákkal borítják be az egészet. Ezután a tésztát felcsavarják, a tekercseket felvagdossák 20-30 centiméter hosszú darabokra, a végeiket összenyomják és cérnával megkötik. Ezután egy lábosban tejet forralnak, a tésztát a tejben kifőzik, majd tálba rakják és tejjel meglocsolva tálalják. Egy másik tésztájuk hasonlóképpen készül, csak gríz helyett túróval töltik és a túrós táskákat főzik ki tejben.

Ezek az enyhén fűszerezett sokác fogások csupán egyetlen színt képviselnek – korántsem jellemzők az egész vidék konyhájára. A szerb horvát és a bácskai magyar főzés-

The Flavours of Southern Hungary

In the south, Hungarian cooking traditions show the influence of the counties of Bácska and Bánát (now Yugoslavia and Rumania). One of the favourite dishes of the Sokác minority living there, around the towns of Mohács, Siklós and Pécs, is a vegetable soup with smoked meat, which is really a two-course meal; it is prepared by cooking vegetables, whole potatoes and smoked meat in stock, and when everything is cooked, the soup is served separately with noodles in it, the second course being the smoked meat garnished with the potatoes from the soup. Sokác people are masters of rétes, the Hungarian strudel, which can be made with curd cheese, poppyseed, but so with apples, cherries or sour cherries. In villages which are trying to preserve old traditions, rétes is baked in copper baking tins, an especially tasty method of preparation. From the same dough another pastry, závezota, can also be made. For this, the dough has to be stretched on the table as thin as paper, just as for rétes, then on both sides of the dough semolina is heaped in long stripes, which is dredged with sugar and covered with chopped onions sautéed in lard. Then the whole thing is tolled up, cut into 20-30 centimetre (10 inch) long pieces and the ends are pressed together and tied with a string. The pastry is cooked in boiling milk in a saucepan, placed on a dish and served with milk poured on top. As a variation, the dough

módnak inkább a markáns ízek, erőteljes fűszerezés adnak sajátos arculatot, bár a másfajta, mediterrán hatás sem hiányzik. A kiszela csorba, a babérlevéllel ízesített, joghurttal vagy kefirrel sűrített leves, amellyel sok helyütt az ebédet kezdik, kellemes savanykásságával frissít, étvágyat gerjeszt. Alighanem a Mediterráneumból vándorolt észak felé, s hódította meg az ínyeket errrefelé is. Viszont az orjaleves, amely a sertés gerinccsontjának ízeit vegyíti a vele főtt zöldségekével, és sáfránytól, paprikától kapja pikáns ízét, szép színét, inkább a bácskai magyar konyha ízvilágából való. Igaz, a szerb konyha is sajátjának vallja – legfeljebb valamivel több fűszert tesz bele.

Az ajvar saláta zöldpaprikából, paradicsomból készül oly módon, hogy miután sütőben megpuhították s a héját lehúzták, az apróra vágott paprikát és paradicsomot olajjal, sóval, borssal és paprikával ízesítik. Eredetileg szerb fogás, ám a Bácskában gyakori kísérője a magyaros húsételeknek is. A forró tűzhelyen fonnyasztott zöldpaprika egyébként – héjától megszabadítva, a kellemesen savanykás salátalével leöntve – a magyar étkezésnek is kedvenc kísérője lett a szerb konyha inspirációjára, alighanem.

Az előbbiekhez hasonló – joggal mondhatni szerencsés ötvözet – a babgulyás is. Délvidéki változata annyiban különbözik a többitől, hogy errefelé sok vöröshagymával sűrítik. Fokhagymát, zellert is adnak hozzá bőségesen, mindenekelőtt pedig füstölthúst, amelynek íze, illata ellenállhatatlanná teszi.

A cevapcici fűszeres rudacskái háromféle húsból készülnek: marha-, sertés- és birkahúst darálnak össze, s vöröshagymával, paprikával, sóval, borssal ízesítve összegyúrják, majd faszénparázs fölött roston megsütik. A pleskavica is háromféle húsból készül, de még több vöröshagymával – és pogácsa formájú. A rajznici sertés szűzérmékből készül, melyeket aprócska nyársra tűzve sütnek parázs fölött. A

may be filled with curd cheese and the curd cheese pockets are cooked in milk.

These mildly seasoned Sokác dishes are only one of the colours on the palette of southern Hungarian cooking. Cooking traditions in Bácska and in Serbian-Croatian kitchens favour sharp flavours and generous seasoning, although they also show some Mediterranean features too. A typical soup called kiszela csorba, which is seasoned with bay leaves and thickened with yoghurt, is often served as a first course: its pleasantly sour taste refreshes and rouses the appetite. Most probably it originated in the Mediterranean, spead northwards and conquered this area too. On the other hand, orjaleves (pork rib soup), which combines the flavours of the backbone of a pig with the vegetables cooked with it and which owes its piquant taste and lovely colour to saffron and red paprika, presumably comes from the Hungarian kitchens in Bácska. Yellow pepper withered in the hot oven so that it could be skinned and then served in a pleasantly sour dressing has become a popular side dish for Hungarian meals, undoubtedly inspired by Serbian cooking.

A similarly happy combination of Serbian and Hungarian cooking is bean goulash, whose southern variation differs from the others in that not only onions but also plenty of garlic, celery and, above all, smoked meat is added the latter making the dish irresistable in taste and smell.

Cevapcici, spicy meat rolls, are made from three meats: beef, pork and mutton are ground together, mixed with chopped onions, red paprika, salt and pepper, then grilled over charcoal embers. Pleskavica is also made from three meats, but with even more onions and then formed into a scone shape. Rajznici is made of pork médallions which are grilled on tiny spits over embers. Guvecs is a meat dish that show similarities to Hungarian cooking. It begins as a pork stew, with a bit more and hotter red paprika in it than is cus-

gyuvecs is némi rokonságot mutat a magyar konyhával: részben sertéspörköltből készítik, csak a nálunk szokottnál valamivel több és csípősebb benne a paprika. Paradicsomot, zöldpaprikát karikára vágva rétegeznek, erre egy réteg pörkölt kerül, föléje újabb padlizsán – paprika – paradicsom réteg, s amikor az egymás fölé rakott rétegekkel megtelt a tűzálló edény, sütőbe teszik és addig hagyják a forró sütőben, amíg minden alkotóelem szépen összesül.

A délvidéki magyar konyha markáns ízei nyilván onnan eredeztethetők, hogy miközben megőrizte a magyar főzésmód minden értékét, magáévá tette a szerb konyha egyes fűszerezési, főzési szokásait is, oly módon, hogy eközben változtatott, finomított rajtuk. Példa erre a "rácos" fogások sokasága a magyar konyhában – a füstölt szalonna illatától átjárt, a hozzásütött paradicsomtól, zöldpaprikától, tejfeltől ízes rác ponty vagy a rác saláta, amelyet paradicsomból, vöröshagymából, metélőhagymából és főtt krumpliból készítenek, és kellemesen savanykás, a magyar ízlésnek megfelelő salátapácban érik be, ott kapja finom ízeit. A délvidéki magyar konyha ezen – és más – fogásait mindenütt szívesen fogyasztják, ahová csak eljut a magyar konyha főztje.

Mikor már nincsen friss zöldpaprika, paradicsom a piacon, előtérbe kerül a hordós savanyú káposzta. A szerb konyha igencsak ért a káposztaételek jó elkészítéséhez. A legnépszerűbb köztük a podvarak, amihez a megmosott és kinyomkodott savanyú káposztát összea vágják, majd apróra vágott vöröshagymát párolnak olajon és ehhez a káposztát hozzákeverik. Majd egy kiolajozott zománcos tepsit kibélelnek vékony karikákra vágott nyers burgonyával, erre sertéshús szeleteket terítenek. A hús fölébe hagymás káposztaréteg jön, ennek tetejébe megint hús, arra ismét káposzta. Mindegyik réteget alaposan megsózzák, borsozzák, majd a tepsit sütőbe teszik és az egészet alaposan átsütik. Van ennek a fogásnak egy halas változata is, ennél a sertéshús helyett a káposztára krumplit tesznek, annak fölébe

tomary in Hungarian cooking; sliced tomatoes and peppers are then layered into and oven-proof dish, covered with a layer of stew; then another layer of aubergines, peppers and tomatoes follows and when the dish is full, it is put into the hot oven until all the ingredients are cooked.

The sharp tastes of southern Hungarian cooking clearly show Serbian influence in that the Hungarian cooking traditions there assimilated some Serbian seasoning and culinary techniques, adapting them to Hungarian needs. A fine example of this is the great variety of Serbian dishes cooked by the Hungarian housewife. Among them is Serbian carp (rácponty – rác being the Hungarian word for Serbian) permeated by the aroma of smoked bacon and flavoured by the tomatoes, peppers and the sour cream baked with it; so too is rác saláta, a salad prepared from tomatoes, onions, chives and boiled potatoes, whose ingredients are flavoured in a pleasantly sour marinade. These, and other south Hungarian dishes not listed here, are popular wherever Hungarian cooking is known.

When fresh peppers and tomatoes are no longer available, sauerkraut starts playing a more important role. Serbian cooking makes a speciality of cabbage dishes. The most popular is podvarak; for this the sauerkraut is washed and squeezed out then diced small and mixed with chopped and sautéed onions. An enamel baking dish is rubbed with oil, then lined with thinly sliced raw potatoes, which are covered with slices of pork. On the pork comes a layer of sauerkraut, then another layer of meat, then sauerkraut again. All the layers are seasoned with salt and pepper, the baking dish is placed into an oven and baked thoroughly. A variation of this dish is made with fish so that instead of the pork a layer of potatoes is put on the sauerkraut, then slices of washed carp, sprinkled generously with oil and sour cream mixed with paprika. This is served straight from the oven after is is well baked.

169

egy megtisztított ponty kerül, amelyet előzetesen sűrűn bevagdostak, majd paprikás tejfellel és olajjal bőven meglocsolnak. Miután alaposan kisült, azon frissiben adják asztalra. Úgy is mondhatnánk, hogy a rác ponty egyik változata ez is – csak éppen káposztásan.

Mindezek után aligha meglepő, hogy a káposztás ételekben a délvidéki magyar konyha is jeleskedik. A kapor – a délvidék e kedves fűszernövénye – ízesíti a kapros töltött káposztát, amelynek tölteléke vöröshagymával, tojással, kaporral dúsított vagdalt hús, de még a megtöltött káposztalevelek mellé is kerül egy-két kaporcsokor, hogy az íze jól átjárja a töltelékeket is. Mikor megfőtt, tejfellel locsolják meg, amibe előzetesen tojássárgát és reszelt sajtot kevertek. Vagy vegyük a karajos töltött káposztát, amely csodálatosan finom ízekkel gazdagítja a töltött káposzták skáláját és a délvidéki magyar konyha egyik fölséges étele. Ennek tölteléke füstölt csülökből készül, amelyet megfőznek, majd a lefejtett húst megdarálják, vöröshagymát, fokhagymát, tojást, rizst, paradicsompürét is adva hozzá. A káposztalevelekbe két-két karaj kerül, középük a darált húsmasszsza, majd a leveleket összehajtogatják és megkötik, mint egy csomagot. A "csomagokat" a főtt csülök levébe teszik, fölébük még kolbász és hús kerül, majd az egészet mérsékelt lángon megfőzik. A mártást tejfellel behabarják és alaposan meglocsolják tejfellel a káposztát is tálalás előtt. A karajos töltött káposzta a podvarak délvidéki magyar "rokona" – ugyanabba az ízvilágba tartozik, csak éppen amannál sokkal dúsabb, gazdagabb.

A temesvári sertéstokányt a zöldpaprika és a paradicsom mellett a finom, zamatos bánáti zöldbab ízei jellemzik. Sertéslapockából készül, amelyet átjárnak a serpenyőben előzetesen megsütött füstölt szalonna finom ízei. Vöröshagymával, paprikával fűszerezve pirítják, majd párolják a ceruzavékony csíkokra felvágott húst. Ehhez hozzáadják a zöldpaprika- és paradicsomszeletekkel összekevert zöldbabot

After describing these essentially Serbian dishes it can hardly be surprising that southern Hungarian cooking is also famous for its cabbage dishes. Dill, the popular herb of the south, is used to season stuffed cabbage here; it is not only the stuffing for the cabbage leaves that contains dill to flavour the minced pork, onions and eggs, but bunches of dill are placed next to the stuffed leaves so that the flavour permeates the whole. Once cooked, sour cream beaten with egg yolks and grated cheese is poured on top. Another example is cabbage stuffed with pork chops, which gives the range of stuffed cabbage, a flavoursome dish and is a speciality of southern Hungarian cooking. The stuffing for this dish is made from smoked pig trotters; these are cooked, then the meat is carved off the bone and minced then mixed together with onions, garlic, eggs, rice and tomato purée. Two slices of pork chops are placed into each cabbage leaf with the stuffing beatween, the leaves are folded and tied up. These "parcels" are cooked slowly in the juices of the cooked trotters with some sausages and some more pork chops. The sauce is thickened with sour cream, which is also used to dress the cabbage before serving. Stuffed cabbage with pork chops is a southern Hungarian relative of the Serbian podvarak in that they both belong to the same family of flavours – but the Hungarian version is much richer.

Temesvári sertéstokány (pork and vegetable stew in the Temesvár style) is prepared with tomatoes and peppers and also with the green beans of the Bánat. The meat is cut into pencil-thin strips and sautéed with chopped onions and red paprika. The green beans are then added, with the sliced tomatoes and peppers and cooked together until the meat is tender. It is served with sour cream and finely chopped dill: this is the dish that combines in itself all the flavours of the southern region.

és együtt főzik, amíg minden jól megpuhul és összefő. Tejfellel dúsítva, finomra vágott kaporral meghintve kerül asztalra – túlzás nélkül mondhatni, hogy a termékeny déli tájak minden jó ízét egyesíti magában!

A rétesekről és a palacsintákról is szót kell ejtenünk, mert a délvidéki magyar konyha ezekben igencsak jeleskedik. A rétes egyébként is valahonnan délről került hozzánk, alighanem a Közel-Keletről származik eredetileg és a Balkán-félszigeten keresztül jutott el Közép-Európába, hosszú vándorútján. A szerb tészták közül ma is kiemelt hely illeti a baklava néven ismert süteményt, amelynek alapja a hajszálvékonyra kihúzott rétestészta. Egy réteg tésztára darált dióból, mézből, fahéjból, szegfűszegből álló töltelék kerül, arra újabb réteslap, fölébe megint csak dióscukros-mézes töltelék. És miután a többrétegű réteskompozíció s sütőben megsült, még újból meglocsolják mézzel, úgy kerül az asztalra, közkedvelt desszertként.

A magyar ízlés úgy variálgatta, módosította a rétest, hogy miközben a tészta vékonyra való kihúzásának mesterfogásait magáévá tette (a sikerben persze nem kis része van a magas sikértartalmú és finomra őrölt magyar réteslisztnek), eközben módosított a tölteléken is. A számára túlságosan édesnek tűnő töltelék helyett a gyümölcsök kellemes savasságát, a túró pikánsságát is tartalmazó töltelékkel rakta meg a rétest, sőt feltalálta káposztával töltött változatát is, amely a sós enyhén borsos ízek jegyében áll és nem étkezést befejező desszert, hanem inkább borkorcsolyának kínálkozó jó falat. Mondani sem kell talán, hogy a gyümölcsökben, tejtermékekben bővelkedő délvidéki magyar konyha a rétes mindezen válfajaiban jeleskedik, beleértve a káposztás változatot is.

A palacsinta ugyancsak dél felől jutott el Magyarországra, ám – ha a legendának hihetünk – nem a Közel-Keletről, hanem Itáliából származik eredetileg. A hagyomány szerint a római légiók hozták magukkal – mint könnyen el-

Mention must be made of strudels (rétes) and pancakes (palacsinta), as they are specialities of southern Hungarian cooking. Indeed rétes, thought of as a southern Hungarian dessert, was probably created in the Near East; from there it finally arrived in Central Europe via the Balkan peninsula after a long journey. Of Serbian pastries baklava is still the most popular even today; this too has a paper-thin dough, stretched out, just as for rétes. The filling is a layer of ground walnut, honey, cinnamon and clove mixed together, which is covered with another layer of dough and covered again with the walnut-sugar-honey mixture. After this layered rétes has been baked, it is topped with honey again before being served.

Hungarian taste changed and modified this southern sweet: the method of stretching the dough very thin is retained (and here the exellence of finely milled Hungarian flour with a high gluten percentage is important) but the filling was changed. The original being too sweet for the Hungarian palate, fruits or curd cheese were used instead to give the dish a pleasantly sour, piquant taste – indeed a cabbage filling was also supplied. Since this has a salty, slightly peppery character, it is not eaten as a dessert but is served to accompany wine. Needless to say southern Hungary, so rich in fruits and dairy products, favours every kind of rétes, including that with a cabbage filling.

Pancakes also came to Hungary from the south, though not from the Near East, but, if we believe the legend, from Italy. According to the legend it was the Roman legions that originally brought them along since they were cheap and easy to make. The pancake of ancient times was not a warm dessert but a kind of salty pie which was useful to fend off hunger with. This, presumably not over-tasty pie eventually became a dessert in Hungarian cooking, which gave it a filling of walnuts, jam, poppy-seed, curd cheese or some such; it became popular far beyond the borders

készíthető és olcsó eledelt. Az "őspalacsinta" ugyanis nem édes meleg tészta volt, hanem az éhség csillapítására alkalmas sós lepényféleség. Ezt a – valószínűleg nem túlságosan ízletes – tésztát változtatta, finomította a magyar konyha, miközben dióval, lekvárral, mákkal, túróval és egyéb finomságokkal töltötte meg és messze Magyarország határain túl is népszerű melegtésztává változtatta át. A délvidéki magyar konyha palacsintái közül külön kell szólni a csúsztatott palacsintáról, amely minden jel szerint innen eredeztethető. A gömbpalacsinta, amellyel a Dunántúl déli részében találkoztunk már, ugyaninnen származik valószínűleg. Az olvasó a receptek közt megtalálja a csúsztatott palacsinta készítésmódját is – itt csupán külön figyelmébe szeretnénk ajánlani a világ leghíresebb palacsintájának, a francia crêpes Susette-nek e távoli, magyar rokonát.

of Hungary. Special mention has to be made of the "slipped pancake" (csúsztatott palacsinta), a dessert which seems to have originated in this region. "Ball pancake" (gömbpalacsinta), which we have already come upon in southern Transdanubia, probably also originated here. Slipped pancake is one of the recipes provided; all we wish to do here is to draw your attention to the distant Hungarian cousin of the most famous of all pancakes, the French crêpe suzette.

RECEPTEK

Hagymagaluska leves

Hozzávalók: *2 fej vöröshagyma, 2 evőkanál olaj, 200 g tejfel, 1 egész tojás, 1 tojássárgája, 4 evőkanál liszt, só, őrölt bors, pirospaprika.*

A vöröshagymát apró kockákra vágjuk és olajon megfuttatjuk, majd pirospaprikával megszórjuk és vízzel felengedjük. Fedő alatt forraljuk negyedóra hosszat. Leszűrjük a levét, a főtt hagymákat összekeverjük egy tojással, kevés sóval, őrölt borssal és liszttel, hogy galuskatésztát kapjunk.

A lét, amiben a hagymát főztük, vízzel felöntjük, hogy 1 liter legyen, sót teszünk bele, felforraljuk. A tésztából galuskákat szaggatunk belé.

A tejfelt a tojássárgájával összekeverjük, amikor sima, a levesestálba öntjük és kavargatás közben óvatosan kanállal rámerjük a levest. Melegen tálaljuk.

Kolbászleves

Hozzávalók: *1 kanál zsír, 2 evőkanál liszt, 1 vöröshagyma, 150 g savanyú káposzta, 250 g füstölt kolbász, 3 evőkanál tejfel, pirospaprika, só káposztalé.*

A zsírból és a lisztből rántást készítünk, ráhintjük a pirospaprikát, majd feleresztjük egy liter hígított savanyúkáposztalével. Beletesszük a megmosott savanyú káposztát, a vékony karikákra vágott füstölt kolbászt. Amikor a kolbász megfőtt, a káposzta megpuhult, a levesestálba tejfelt öntünk és a levest arra rámeregetjük, kavargatás közben. Pirított zsemlekockát adunk hozzá.

Délvidék, Zentai tanya
Southern Hungary,
Zentai farm

176. oldal
p. 177

Kolbászleves
Spiced sausaged soup

178. oldal
p. 179

Szerb bableves
Serbian bean soup

180. oldal
p. 181

Gyuvecs
Gyuvecs

182. oldal
p. 183

Sült paprika és
paradicsom

Baked peppers and
tomatoes

186. oldal
p. 187

Bácskai pontyszelet

Carp fillets Bácska
style

186. oldal
p. 187

Rác saláta
Serbain salad

188. oldal
p. 189

Csúsztatott almás
palacsinta

Slipped pancage with
apples

RECIPES

Onion dumpling soup

2 Spanish onions, chopped fine, 2 tablespoons oil, 200 gm/7 oz sour cream, 1 egg, 1 egg yolk, 4 tablespoons flour, salt, ground black pepper, 1/2 teaspoon paprika

Sautée the onions in the oil, add the paprika and dilute with a little water. Cover and simmer for about 15 minutes. Drain and keep the liquid. Mix the onions with an egg, a pinch of salt, pepper and the flour and work together into a very soft dough adding some water if necessary. Add enough water to the drained liquid to bring it up to 1 litre (1 1/3 pints). Add salt and bring it to the boil. Turn the galuska mixture onto a board, dip a knife into the boiling liquid, separate finger-thin strips with the knife from the dough and dice these quickly into the soup. Mix the sour cream with the egg yolk and put it into a soup tureen and ladle the hot soup onto it, stirring continuously to prevent it from curdling. Serve hot.

Spiced sausage soup

1 tablespoon lard, 2 tablespoons flour, 1 Spanish onion, 150 gm/5 oz sauerkraut, 250 gm/9 oz smoked spiced sausages cut into round, 3 tablespoons sour cream, 1/2 teaspoon paprika, salt

Rinse the sauerkraut with water. Squeeze out and keep the liquid. Make a roux of the lard and the flour, sprinkle with paprika and add the sauerkraut liquid, adding water to make 1 litre (1 1/3 pints). Add the sauerkraut, the sausages and cook until they are tender. Put sour cream in a soup tureen and, stirring continuously, ladle the soup on it. Serve with croutons.

177

Szerb bableves

Hozzávalók: *600 g szárazbab, 1 kg marhacsont, 2 répa, 1 gyökér, 1 fej vöröshagyma, 2 evőkanál liszt, 3 gerezd fokhagyma, 1 csésze joghurt, 1 teáskanál ecet, só, 1 evőkanál zsiradék, pirospaprika.*

A babot a készítés előtti este beáztatjuk. Másnap leöntjük róla a vizet és félretesszük.

Levesesfazékban kevés sóval feltesszük főni a csontot és a megtisztított, felvágott zöldségeket. Két óra hosszat főzzük. Leszűrjük, a levét a fazékban hagyjuk. Ebbe a lébe tesszük a babot, s annyi vizet adunk hozzá, hogy megint 1 liter legyen. Fedő alatt főzzük, amíg a bab megpuhul.

Elkészítjük a csipetketésztát (l. 22. old.) és félretesszük.

A zsiradékot felhevítjük, beletesszük a finomra vágott hagymát, a lisztet és kis lángon megpirítjuk. Ezután leveszszük a lángról, meghintjük paprikával, hozzáadjuk a szétnyomkodott fokhagymát. Felöntjük egy kevés hideg vizzel és elkeverjük, majd a fazékban lévő bablaveshez adjuk és tovább főzzük egy negyedóra hosszat. Mikor a leves már jól átfőtt, hozzáadjuk a joghurtot, utánasózzuk, kevés ecettel ízesítjük, majd belefőzzük a csipetkét. Melegen tálaljuk.

Turbolyaleves

Hozzávalók: *150 g turbolya, 1 evőkanál vaj, 2 evőkanál liszt, só.*

A vajból és a lisztből világos rántást készítünk. Felengedjük vízzel, majd hozzáadunk annyi vizet, hogy kb 1 liter legyen. Hozzáadjuk a finomra vágott turbolyát, sózzuk és lassú tűzön, állandó kavargatás közben kb negyedóráig főzzük.

Tojássárgáját keverünk bele sűrítésnek.

Serbian bean soup

600 gm/1 1/3 lb beans, 1 kg/2 lb beef bones, 2 medium carrots, cut lengthwise, 1 parsnip, cut lengthwise, 1 Spanish onion, finely chopped, 2 table-spoons flour, 3 cloves garlic, crushed, 1 cup yoghurt, 1 teaspoon vinegar, salt, 1 tablespoon lard, 1 level tea-spoon paprika

Soak beans overnight. Drain them, keeping the liquid. Put the bones into slightly salted water with the carrots and parsnip to cook for 2 hours. Take the bones and the vegetables out of the liquid and put in the beans, adding their water to make 1 litre (1 1/3 pints) cooking liquid. Cook the beans covered until tender. Prepare some csipetke (see p. 23.) and set them aside.

Heat the lard, add the onion, flour and sautée on a low flame. Take it off the heat, sprinkle with paprika, add the garlic, a little cold water, stirring carefully, then add it to the still cooking soup to thicken it. Cook for a further 15 minutes. When the soup is almost ready, add the yoghurt, correct, for salt, flavour with a little vinegar and cook the *csipetke* in the soup. Serve hot.

Chervil soup

150 gm/5 oz fresh chervil, chopped, 1 tablespoon but-ter, 2 tablespoon flour, salt, 1 egg yolk

Make a roux with the lard and butter. Add a little water stirring continuously then dilute with enough water to make 1 litre (1 1/3 pints) soup. Add the chervil, salt and cook on a low flame, stirring frequently for another 15 minutes. Thicken with an egg yolk.

Délvidéki húsosfazék

Hozzávalók: *400 g sovány sertéshús, 400 g marhaláb-szár, 2 evőkanál olaj, 2 evőkanál ecet, 4 fej fokhagyma, 4 fej vöröshagyma, 6 zöldpaprika, 3 paradicsom, fél fej fejeskáposzta, fél fej kelkáposzta, 1 kis fej karfiol, 1-1 szál sárga- és fehérrépa, só, őrölt bors, pirospaprika, 1 csokor petrezselyem.*

A húst megmossuk, kis kockákra vágjuk. A fokhagymát megtisztítjuk, a gerezdeket egészben hagyjuk. A vöröshagymát megtisztítjuk, kockára vágjuk, a felforrósított olajon megpároljuk, míg üveges lesz. Pirospaprikát hintünk rá, összekeverjük. A répákat megtisztítjuk és karikákra vágjuk, a káposztát ujjnyi széles csíkokra aprítjuk, a paradicsomot, paprikát felszeleteljük.

Egy nagy fazék aljára rakjuk a fokhagymagerezdeket és a zöldségfélék egyharmadát. Erre rakjuk a sertés- és marha-húskockák felét, vegyesen. Erre egy réteg zöldség jön, majd ismét hús. Felülre zöldség és a párolt hagyma kerül. Minden réteget rárakáskor sóval, borssal ízesítünk, a végén az egészet ecettel meglocsoljuk, majd annyi vizet öntünk rá, hogy éppen ellepje. A fazekat lefedjük, előmelegített sütőbe tesszük és addig sütjük, amíg az egész alaposan átsül.

Tálalás előtt meghintjük finomra vágott petrezselyemmel. Melegen fogyasztjuk.

Gyuvecs

Hozzávalók: *760 paradicsom, 450 g zöldpaprika, 1 fej vöröshagyma, 200 g rizs, 4 szelet sertéstarja, 1 evőkanál zsír, 400 g tejfel, só.*

Felvágjuk karikákra a paradicsomot, a zöldpaprikát, a hagymát. A húst megsózzuk, zsírral vagy olajjal kikenünk egy

Southern hot pot

400 gm/14 oz lean pork, washed, dried and diced, 400 gm/14 oz beef, shin or brisket, washed, dried and diced, 2 tablespoons oil, 4 heads of garlic, hulled and peeled, 4 Spanish onions, chopped, 6 yellow peppers, sliced into rounkds, 3 tomatoes, sliced, 1/2 cabbage, shredded, 1/2 savoy cabbage, 1 small cauliflower, 1 carrot, cut into rounds, 1 parsnip, cut into rounds, salt, 1 teaspoon paprika, 1 tablespoon vinegar, handful of parsley, chopped

Sautée the onions in hot oil until transparent. Remove from the heat, sprinkle with paprika, mix well.

Place the cloves of garlic to the bottom of a large pot, add one third of the vegetables. On this bed put half of the meat, pork and beef mixed. Then another layer of vegetables follows, the rest of the meat and the remaining vegetables come to the top with the sautéed onions. Flavour each layer with salt and pepper, sprinkle the vinegar on top. Add enough water to cover the ingredients, cover the pot and place into a preheated oven. Bake until done (about 2 hours). Sprinkle with parsley and serve hot.

Gyuvecs

760 gm/1 3/4 lb tomatoes, sliced, 450 gm/1 lb yellow peppers, cut into rounds, 1 Spanish onion, sliced, 200 gm/7 oz rice, 4 slices of neck of pork, 1 tablespoon lard, 400 gm/14 oz sour cream, salt

Wash, dry and salt the meat. Rub an oven-proof dish with oil or butter, put in the onion, half of the tomatoes, rice and peppers. Cover this with the meat slices

tűzálló edényt és belerakjuk a hagymát, a paradicsomot, a rizst, a zöldpaprikát. Erre hússzeletek kerülnek, fölébük megint zöldpaprika, rizs és paradicsom. Sózzuk, leöntjük tejfellel és a sütőbe tesszük. Mérsékelt lángon sütjük, amíg az egész jól átsül (kb. egy óra), aztán levesszük a fedőt az edényről, s tovább sütjük, míg a teteje is szépen megpirul.

Rácos töltött paprika

Hozzávalók: *300 g disznóhús, 100 g rizs, 1 tojás, 5 zöld-paprika, 3 paradicsom, 200 g tejfel, 100 g füstölt sza-lonna, só, pirospaprika.*

A darált húsból pörköltet készítünk oly módon, hogy az apróra vágott, zsírban megpirított vöröshagymát pirospap-rikával meghintjük, majd a húst rátesszük, összekeverjük, ehhez hozzáadjuk a rizst és kevés vizet aláöntve, az egé-szet puhára főzzük. Sózzuk, hozzáadjuk a tojást és a meg-tisztított, kicsumázott, félbevágott zöldpaprikákat megtölt-jük ezzel a masszával. Mindegyik fél paprikára teszünk 1-1 karika paradicsomot, 1-1 kiskanál tejfelt, vékony szelet füs-tölt szalonnát. Kizsírozott tepsibe egymás mellé rakjuk a paprikákat és sütőben ropogósra sütjük.

Sült paprika és paradicsom

Hozzávalók: *500 g zöldpaprika, 500 g paradicsom, 200 g darált sertéshús, esetleg máj, vese, 2 fej vöröshagyma, 100 g rizs, só, bors, majoránna, 2 tojás, 200 g tejfel.*

A paprikát, paradicsomot megmossuk, belsejüket kiszed-jük.
A darált sertéshúst – esetleg májat, vesét – összekeverjük

then follow with a second layer of tomatoes, rice and peppers. Flavour with salt and sour cream, then place into a moderate oven to bake covered for about 1 hour. Take the lid off the dish and bake for a further 15 minutes until the top takes a nice golden colour.

Serbian stuffed peppers

300 gm/11 oz minced pork, 2 tablespoons lard, 100 gm/4 oz rice, 1 Spanish onion, chopped finely, 1 egg, 5 large yellow peppers, seeded and halved, 3 tomatoes, 200 gm/7 oz sour cream, 100 gm/4 oz smoked bacon, salt, 1/2 teaspoon paprika

Sautée the onion in the lard, take it off the heat, sprinkle with paprika and add the meat. Mix well, add the rice, then add a little water and return to the heat. When the rice is cooked remove from heat and allow to cool. Add the egg, salt to taste and mix well. Stuff the peppers with this mixture, put a round of tomato and a teaspoon of sour cream on each and cover each with a slice of smoked bacon. Rub a baking tin with lard, place the peppers side by side in it and bake until crispy in a moderate oven.

Baked peppers and tomatoes

500 gm/1 lb 2 oz yellow peppers, capped and seeded, 500 gm/1 lb 2 oz tomatoes, capped with pulp scooped out and retained, 200 gm/7 oz minced pork (liver or kidney can also be used), 2 Spanish onions, finely chopped, 2 tablespoons lard, 100 gm/4 oz rice, salt, groung black pepper, marjoram, 2 eggs, 200 gm/7 oz sour cream

az előzőleg megpárolt, apróra vágott vöröshagymával, a megpárolt rizzsel, sóval, törött borssal ízesítjük, hozzáadunk egy kevés majoránnát is, jól összekeverjük. Ezzel a masszával megtöltjük a paprikákat és a paradicsomokat. A tejfelbe belekeverjük a paradicsomok kivájt belsejét.

A töltött paprikákat, paradicsomokat kizsírozott tepsibe tesszük, rájuk öntjük a tejfeles paradicsomot, majd előmelegített sütőben megsütjük.

Bácskai rakott káposzta

Hozzávalók (8 személyre): *2 kg savanyú káposzta, 2 vöröshagyma, 250 g füstölt hús, 1 kacsa, 1 sertéslapocka, só, törött bors, 150 g zsír, cseresznyepaprika.*

A finomra vágott vöröshagymát pirítsuk meg a felforrósított zsírban, adjuk hozzá az előzőleg megmosott és kinyomkodott savanyú káposztát, kevergetés közben pirítsuk tovább kb 10 percig. Adjunk hozzá őrölt cseresznyepaprikát és törött borsot (ízlés szerint: a cseresznyepaprika igen csípős!), öntsünk hozzá egy csésze vizet és kavarjuk át alaposan megint.

Egy hosszúkás, elég nagy tűzálló edénybe rakjuk bele a kockára vágott füstölt húst és a káposztát. Tegyük rá a megtisztított és jól megmosott kacsát, tetejébe a sertéslapockát. Fedjük be az edényt, tegyük előmelegített sütőbe és hagyjuk benne, amíg az egész jól átsült. Időnként sülés közben keverjük meg a káposztát, forgassuk meg a kacsát. Szükség esetén öntsünk alá egy kis vizet. Kóstoljuk meg, ha szükséges, sózzuk utána kissé. Amikor már jól átsült, vegyük le a fedőt a tűzálló edényről és süssük tovább, hogy a kacsa kívül kissé megpiruljon.

A kacsát és a húst tálalás előtt felszeleteljük és a káposztára rakva adjuk asztalra.

Sautée the onions in the lard and mix with the pork (liver or kidney), add the rice and flavour with salt, pepper and a little marjoram. Mix well. Stuff the peppers and tomatoes with this mixture. Rub a baking tin with lard, and put the stuffed peppers and tomatoes side by side into it. Top them with the sour cream mixed with the tomato pulp before putting the tin into a pre-heated oven to bake.

Layered cabbage Bácska style

Serves 8: *2 kg/3 1/3 lb sauerkraut, 2 Spanish onions, finely chopped, 250 gm/9 oz smoked pork, diced, 1 duck, cleaned, 1 shoulder of pork, salt, ground black pepper, 150 gm/5 oz lard, 1 red chilli pepper, ground*

Rinse the sauerkraut in water and squeeze out the liquid with your hands. (Repeat if you wish to remove more brine.) Heat the lard and sautée the onions. Add the sauerkraut and sautée together for about 10 minutes. Flavour with chilli and black pepper to taste (be careful with the chilli), add a cup of water and stir well. Put the smoked pork and the sauerkraut into a large oblong oven-proof dish. Place the duck on this bed and cover it with the shoulder of pork. Cover the dish, put it into a pre-heated oven and bake together until all ingredients are tender. Stir the cabbage and turn the duck from time to time, add some water if necessary. Taste for salt. When the meat is tender, take off the lid and leave the dish in the oven for some minutes until the duck takes a nice brown colour. Slice the duck and the pork. Put the cabbage on a warm plate and put the meat on the top before serving.

Bácskai pontyszeletek

Hozzávalók (5 személyre): *800 g ponty, 150 g vöröshagyma, 100 g olaj, 400 g zöldpaprika, 200 g paradicsom, 1 kg burgonya, 1 csésze tejfel, só, 2 gerezd fokhagyma.*

A pontyfilét megmossuk és leszárítjuk. Sózzuk, majd kevés forró olajban félig megsütjük.

Közben a burgonyát héjában megfőzzük, megtisztítjuk, egyforma karikákra vágjuk. A finomre vágott vöröshagymát zsiradékon megpirítjuk, hozzáadjuk a csíkokra vágott zöldpaprikát és paradicsomot, kevés vizet öntünk alá, hagyjuk megpárolódni. Egy tűzálló edényt kikenünk olajjal, belerakjuk a karikákra vágott főtt burgonyát, rátesszük a lecsót, hozzáadjuk a szétnyomkodott fokhagymát, sózzuk, rátesszük a halszeleteket. A tetejét meglocsoljuk tejfellel, majd sütőbe tesszük és 15-20 percig sütjük. (A halra öntött tejfelt ízlés szerint kissé megsózhatjuk.)

Melegen, tűzálló edényben tátaljuk.

Rác saláta

Hozzávalók (10 személyre): *500 g zöldpaprika, 500 g paradicsom, 1 kg burgonya, bors, ecet, 100 g porcukor, 150 g vöröshagyma, só, 1/2 csomó metélőhagyma, 1 evőkanál olívaolaj.*

A zöldpaprikát kicsumázzuk és hosszú szeletekre vágjuk. A paradicsom héját lehúzzuk, felvágjuk kis kockákra, ugyanígy az előzetesen megfőzött, meghámozott burgonyát is. Olívaolajból, ecetből, borsból, sóból salátalét készítünk, beletesszük a finomra vágott metélőhagymát, sóval ízesítjük, majd beleforgatjuk az előkészített hozzávalókat. A salá-

Carp fillets Bácska style

Serves 5: *800 gm/1 3/4 lb carp fillets, washed and dried, 150 gm/5 oz Spanish onions, finely chopped, 100 gm/4 oz oil, 400 gm/14 oz yellow peppers, cut into strips lengthwise, 200 gm/7 oz tomatoes, quartered, 1 kg/2 lb potatoes, 1 cup sour cream, salt, 2 cloves garlic, crushed*

Salt the carp fillets and fry them until half tender in half of the oil.

Meanwhile cook the potatoes in their jackets. When they are cooked, peel them, leave them to cool a little and slice them. Sautée the onions in the other half of the oil, add the peppers and the tomatoes and cook together, adding a little water. Rub an oven-proof dish with oil, put in the potatoes, the stewed vegetables (lecsó) and the garlic; salt and put the carp on top. Sprinkle with sour cream (mixing in a little salt to taste), put the dish into the oven and bake for 15-20 minutes.

Serve hot in the baking dish.

Serbian salad

Serves 10: *500 gm/1 lb 2 oz yellow peppers, seeded and cut lengthwise, 500 gm/1 lb 2 oz tomatoes, skinned and diced, 1 kg/2 lb potatoes, cooked and diced, ground black pepper, vinegar, 100 gm/4 oz castor sugar, salt, 100 gm/5 oz Spanish onions, tablespoon of chives, finely chopped, 1 tablespoon olive oil*

Make a dressing with the olive oil, vinegar to taste, salt and pepper, add the chives and marinate the vegetables in

tát üvegtálon, színek szerint elrendezzük, a tetejére vékony
karikákra vágott vöröshagymát teszünk és úgy tálaljuk.

Csúsztatott palacsinta

Hozzávalók (10 személyre): *10 tojás, 100 g vaj, 200 g
liszt, só, 1/2 liter tej, 150 g vaníliás porcukor, olaj a
palacsinta sütéséhez.*

A vajat habosra keverjük és folyamatos keverés közben,
egyenként hozzáadjuk a tojássárgákat. Hozzáadjuk a liszt-
tet, sót és annyi tejet, hogy palacsinta sűrűségű tésztát
nyerjünk. Utoljára keverjük könnyedén hozzá a kemény
habbá vert tojásfehérjéket. Zsírozott palacsintasütőben vé-
kony palacsintákat készítünk, ezeknek csak egyik oldalát
sütjük rózsaszínűre. Tortatálra csúsztatva, megszórjuk va-
níliás cukorral és így folytatjuk az egymásra csúsztatást,
míg az összes palacsinta elkészült. A legutolsó
palacsintával – amelynek mindkét oldalát rózsaszínűre
sütjük, letakarjuk a palacsintahalmot. Forrón tálaljuk.

Csúsztatott almás palacsinta

*A csúsztatott palacsintával azonos módon készül, de
fahéjas porcukorral és reszelt almával hintjük meg ré-
tegenként.*

Főispántészta

Hozzávalók: *140 g liszt, 140 g vaj, 5 tojás sárgája, a töl-
telékhez 5 tojásfehérje, 140 g mandula, 140 g vaníliás
porcukor.*

it. On a glass plate arrange the vegetables according to their colour, serve the salad with some onion rings on top.

Slipped pancake

Serves 10: *10 eggs, 100 gm/4 oz butter, 200 gm/7 oz flour, salt, 1/2 l/3/4 pint milk, 150 gm/5 oz vanilla sugar, oil to fry the pancakes in*

Beat the butter until creamy and stirring continuously add the egg yolks one by one. Stir in the flour, salt and enough milk to the pancake dough. Beat the egg whites and fold into the mixture. Put a teaspoon of lard into a frying pan and fry a ladleful of the dough in it. Fry each pancake only on one side. Slip the pancake from the pan onto a serving plate, sprinkle with vanilla sugar and fry the next pancake the same way. Slip the pancakes on top of one another, flavouring them with vanilla sugar until all the dough is used up. Fry the last pancake on both sides and cover the heap of pancakes with it. Serve hot.

Slipped pancake with apples

The recipe is the same as for Slipped pancake, above, but the filling between the pancakes is grated apples mixed with vanilla sugar.

Lord lieutenant's cake

140 gm/5 oz flour, 140 gm/5 oz butter, 5 egg yolks, for the filling:, 5 egg whites, 140 gm/5 oz almonds, ground, 140 gm/5 oz vanilla sugar

A lisztet a vajjal és a tojások sárgájával jól összegyúrjuk, rúd alakúra formáljuk és 20, dió nagyságú gombócot formázunk belőle.

A tésztát este készítjük, reggelig pihentetjük a gombócokat. Akkor mindegyik gombócot vékonyra kinyújtjuk, majd elkészítjük a töltelékt is: az 5 tojásfehérjét a vaníliás cukorral és az apróra tört mandulabéllel kemény habbá verjük, ezzel a tésztákat megtöltjük oly módon, hogy a négynégy sarkot összefogjuk. Tepsibe tesszük és a sütőben, enyhe lángon világos zsemleszínűre sütjük.

Knead the flour, butter and egg yolks together, form into a long roll of dough and cut walnut-size balls off it. Leave the balls to stand overnight then roll them out thin into rectangular shapes and fill them with the egg whites beaten with the vanilla sugar and the almonds. Make a bundle of the pastry by pressing two opposite corners together and folding the other two towards them. Put the bundles into a baking tin and bake them to a golden colour.

Eger, a Palócföld, Tokaj-Hegyalja ízei

A mai Észak-Magyarország szívében fekvő Eger a legtörténelmibb magyar városok egyike. Nincs magyar iskolásgyermek, aki ne ismerné az 1552. évi várostrom történetét, amikor Dobó István várkapitány kétezer vitézével másfélszázezer főnyi török sereg támadását verte vissza. Nincs magyar honpolgár, aki ne hallott volna a hős egri nőkről, akik vitézül vettek részt a harcban: forró vízzel és szurokkal űzték vissza az ostromlókat a vár fokáról. Ha az ember napjainkban jár Egerben, szinte kitapinthatóan érzi a múltat maga körül, a belváros ódon házai közt csakúgy, mint fent a Várban, ahol az ásatások feltárták a középkori székesegyház márványfaragványait s a kazamatákat, amelyek behálózták a föld mélyét az erősség alatt, némelyik föld alatti folyosó messze a váron túl végződött, rejtett kijáratban, amelyen keresztül a várvédők ki-kitörtek és hátba támadták ostromlóikat.

Eger városa olyan, mint egy finom barokk ékszerdoboz. A török háborúk pusztításai után barokk stílusban épültek a templomok, a paloták, a tehetős polgárok házai. Mintegy ellentéte e barokk épületeknek a klasszicista székesegyház, masszív oszlopcsarnokával, hatalmas méreteivel. Előtte a szent királyok – Szent István és Szent László, valamint Péter és Pál apostolok szobrai állanak.

Ha valaki ezek után azt hinné, hogy Eger a múltjából élő múzeumváros, igencsak tévedne. A csodálatos vitalitás, amellyel a háborúk után mindig újjáépítették, sőt újabb

The Flavours of Eger, the Palóc Region and the Tokaj Hills

Eger, in the heart of present-day northern Hungary, is one of the country's most historic cities. There is no Hungarian schoolchild who does not know the story of the 1552 siege of its fortress, when Captain István Dobó and his two thousand men fended off a Turkish army of 150 thousand. There is no Hungarian citizen who has not heard of the heroic women of Eger, who bravely took part in the fight, pouring hot water and boiling pitch over the besiegers climbing up to the bastions. If you visit Eger, the atmosphere of the past is almost palpable around you, among the old buildings of the city and up in the fortress itself, where excavation has brought to light the carved marble ornaments of the medieval cathedral and the network of casemates and passages underneath the fortress. Some of these passageways reach far beyond the limits of the city and emerge to the surface with hidden exits, through which the defenders of old times sallied out of the fortress from time to time to attack the enemy from the rear.

The city of Eger is like a delicate Baroque jewel-box. After the devastation of Turkish times, the churches, the palaces and the houses of well-to-do burghers were rebuilt in the Baroque style. As a contrast to this unity of Baroque buildings, the Cathedral shows neoclassic features with its massive colonnade and huge scale. In front of it are the statues of King St Stephen and St László, and of the apostles Peter and Paul.

építészeti remekművekkel tudták ékesíteni polgárai, ma is létezik, működik. Kevés olyan élénk, pezsgő életritmusú város van Magyarországon, mint Eger. Nyilván ennek tulajdonítható az is, hogy az egriek kiválóan értenek a savoir-vivre-hez, amit úgy lehetne franciából szabadon fordítva mondani, hogy az élni tudás művészete. Ennek – mondani sem kell talán – fontos részét alkotja a jó evés-ivás, amiben nincs hiány Egerben sohasem. Az egri konyhát a természetes, komplikálatlan ízek jellemzik, amelyek mindenki számára kedvesek. A környékbeli kertekből sokféle ízletes gyümölcs, zöldség kerül Eger konyháiba, a szemen tartott "háztáji" baromfiak megőrizték a régi jó ízeket. A méhészek illatos akác-, hársfa-, sőt levendulamézet is a halasok a szomszédos Bükk hegységből származó pisztrángot árusítanak az egri piacon,. Eger konyhájához tartoznak a házilag eltett savanyúságok, befőttek is friss ízeikkel: nemcsak a privát háztartásokban, de a vendéglőkben is minduntalan találkozik az ember velük. A remek húsokról külön is szólni kell: a kitűnő marhahúsokról, sertéshúsokról, főképpen pedig a vadhúsokról, amelyek a bükki erdőkből kerülnek az egri asztalokra, s olyan remek fogások készülnek belőlük, mint a tejfeles vadmalacleves, vagy az egri vörösborban párolt szarvaspecsenye. A bor fontos szerepet játszik az egri konyhában, mivel ez a környék az egyik leghíresebb történelmi magyar borvidék. A gránátszínű, tüzes, kellemesen fanyar vörösbor, az egri bikavér kedvelt, nemes ital Magyarország határain túl is. A fehérborok közül a finom bukéjú Egri Leányka és a száraz olaszrizling tartozik a "nagy borok" közé. A borral való főzés tudnivalóan a legkifinomultabb konyhák sajátja – e jó értelemben vett "raffináltság" valóban az egri főzésmód jellemzője. A finom, természetes ízek, amelyeket a nemes alapanyagokból az egri konyha kihoz, jórészt egy 18. századi főpap, Telekesy István ízlését dicsérik. Telekesy püspök (akkor az egri püspökség fejének még nem járt ki az érseki cím) nemcsak

You might think that Eger is a city of museums living in its past, but this is not in the least true. The amazing vitality which helped to rebuild the city after every war and, what is more, added more architectural jewels to the old, still exists and still has its effects. There are few cities in Hungary so full of life and vitality as Eger. Obviously, this is the reason why the people of Eger are so full of savoir vivre. Part and parcel of this, needless to say, is knowingt how to eat and drink well, which people are not short of in Eger. The local cooking is characterised by natural, uncomplicated flavours, beloved by everyone. The produce of fine fruits and vegetables, and free-range corn-fed poultry still tastes as it used to. Apiarists sell fragrant acacia, linden and even lavender honey, and fishmongers bring in trout from the nearby Bükk mountains. Important to the cooking of Eger are the home-made pickles and preserves, which you come across all the time in restaurants as well as in people's homes. Mention should be made of the delicious meats as well, the first class beef, pork, and especially the game, which arrives on tables from the woods of the Bükk mountains and provides such delicious dishes as wild piglet soup with sour cream or roast deer braised in the local red wine. Wine plays an important role in the kitchens of Eger as the region is one of the most famous and historic of the Hungarian wine producing areas. The ruby, fiery, pleasantly tart Bulls Blood (Egri bikavér) is a popular wine even outside Hungary. Of the white wines Egri leányka, which has a fine bouquet, and the dry Olaszrizling are among the great wines. Cooking with wine seems to be a tradition of the most refined cuisines; this artfulness, in a positive sense, is also a feature of Eger cooking.

The delicious, natural flavours, which are produced from first class ingredients, celebrate primarily the good taste of an 18th century pontiff, István Telkesy. Bishop Telkesy (Eger did not have an archbishop in those days) not only brought master cooks from all over Europe to Eger but, as

Európa messzi tájairól hozatott mesterszakácsokat – de igazi ínyencként, maga inspiciálta a konyhában történteket, s kritikával, tanáccsal segítette szakácsait. Nemrégiben került elő egy levéltárból Telekesy püspök kézirat szakácskönyve: olyan fogások találhatók benne, mint a mazsolás tyúk vagy a tejfeles "galambfi". Igazi ínyencfalatoknak számítanának ma is.

Az Eger szomszédságában elterülő hegyes-dombos vidéken festői falvakban élő palócok származása ügyében voltaképpen mindmáig nem tudtak dűlőre jutni a történészek és az etnográfusok. Egyesek szerint a tatárjárás elől a 13. században Magyarországra menekült kunok utódai volnának, mások vitatják ezt a feltevést és korábbra teszik a palócok betelepedésének idejét. Az utóbbiak azt állítják, hogy a honfoglaló magyarokkal együtt érkezett kabarok volnának a palócok ősei. Annyi bizonyos, hogy a magyar nyelv igen ízes – és sajátos – dialektusát beszélik, s hogy falvaik a múlt század végéig megőrizték a nagycsalád intézményéből eredő saját településformájukat, házaik faoszlopos tornácait, sajátos nyeregtetőit. Az ősi szokásvilágból nemcsak a színes palóc népviselet maradt fenn, hanem a palóc konyha jó néhány ízletes fogása is. A kettő – mármint a népviselet, meg a főzésmód – így együtt ma is megtalálható egynémely palóc faluban, főként "jeles napokon", amikor a hagyományőrző lányok-asszonyok felveszik a szép, színes viseletet és abban mennek misére, utána meg a kiadós ebédhez ül otthon az egész család. A "kiadósság" jegyében kreálta Gundel János a bevezetésben már említett "palóc levest" Mikszáth Kálmán számára, aki Balassagyarmaton élt ifjú éveiben, abban a városban, amelyet "Palócország fővárosának" lehetne nevezni, ha volna ilyen egyáltalán. Mikszáth olyan levest kért, amiben minden finomság bennfoglaltatik, s Gundel ezt úgy valósította meg, hogy húst apró kockákra vágva pirított hagymával tett fel, sóval, köménymaggal, pirospaprikával ízesítve, s jó puhára párol-

196

a true gourmet, he inspected himself what was going on in the kitchen and helped the cooks with criticism and advice. Just recently Bishop Telkesy's hand-written cookery book turned up in an archive and it contains recipes such as hen with raisins or young pigeon with sour cream. These would be delicacies even today.

Historians and ethnographers have not yet been able to agree on the origin of the Palóc people, an ethnic group that lives in picturesque villages on the gently rolling hills near Eger. Some say they are the descendants of the Cumanians who fled to Hungary in the 13th century before the Tartars, others doubt this and argue that they settled in Hungary earlier than that. They say that the ancestors of the Palóc people was the Kabar tribe, who arrived in present-day Hungary alongside the Magyars. What is certain is that they speak a special, unique dialect of Hungarian and that their villages preserved as late as the end of the last century, their own type of settlement, which reflected the prevailing institution of an extended family system, their own type of architecture, porches built with wooden timbers, and the unique form of roofs above the houses. Of their ancient traditions not only the colourful folk costumes have survived: so too have quite a few Palóc dishes.

The two, folk costume and cooking traditions, can be found in some Palóc villages even today, especially on holidays when girls and women by tradition put on their beautiful, colourful clothes to attend mass and then the whole family sit down at home at a heavily loaded table for lunch. It was in this spirit of substantiality that János Gundel created his famous Palóc soup (mentioned in the Introduction) in honour of the writer Kálmán Mikszáth, who spent his youth in the town of Balassagyarmat, which could be called the capital of Palócia, if such country existed. Mikszáth asked for a soup wich contained everything that tastes good; what Gundel did was to dice the meat, sautée some onions and

197

ta fedő alatt. Ekkor zöldbabot, burgonyát adott hozzá és vízzel felöntve készre főzte, végül pedig tejfellel sűrítette be. A nevezetes leves nem Palócföldön, hanem Budapesten született, ám túlzás nélkül mondható, hogy a nagy szakács a palóc főzésmód leglényegét valósította meg a mindmáig népszerű levesben. Ez a gazdaság és karakteresség jellemzője a palóc főzésmódnak ma is. A palóc pecsenye például sertéskarajból készül, amit kiklopfolnak, paprikás lisztben meghempergetnek, majd zsiradékban kissé elősütik, s ezt követően fokhagymás-mustáros csontlében főzik készre: az eredmény egy erősen fűszeres, roppant ízletes pecsenye! A palóc lakodalmak édessége, az örömkalács, kelt tésztából készül oly módon, hogy a mazsolával, dióval és más finomságokkal teli tésztát hatalmas tepsikben megsütik, majd kiborítják a tepsiből, nagy majolikatálra helyezik és a négy sarkába faragott botocskákat tűznek. Ezekre cérnára fűzött pattogatott kukoricafüzéreket kötnek, s három-négy sorban körbe felfűzik. A feldíszített örömkalácsot a menyegzői asztal közepére helyezik és úgy szeletelik fel, hogy mindenkinek jusson belőle egy-egy szelet.

Tokaj-Hegyalja alighanem Észak-Magyarország leghíresebb vidéke: nevét az egész világon ismerik a tokaji bor miatt, amely már XIV. Lajos udvarában "királyok bora − borok királya" megjelöléssel szerepelt az itallapon. A Tokaji Aszú a leghíresebbik a tokaji borok közül, de a Tokaji Szamorodni, az olaszrizling, furmint, hárslevelű is a jeles italok közé tartozik. Nem is szólva a tokaji eszenciáról, amely az aszúszemekből kicsorduló csodálatosan finom lé − csak sajnálatosan ritka és meglehetősen drága delikatesz.

Tokaj-Hegyalja tájain járva, az ember hamarosan rájön, hogy a nemes borokon kívül e vidéknek van egyéb − nem is akármilyen − varázsa is. A dombtetőkön ódon várak, a völgyekben barokk kastélyok, ősrégi falvak, amelyekben még élnek a régi népszokások, mesterségek. S mindezt egy olyan konyha ízei festik alá, amely maga is sokféle tradíció-

braise them with salt, caraway seeds and red paprika until tender. Then he added some green beans and potatoes, added enough water to make it a soup, cooked the whole and finally thickened it with sour cream. Although this celebrated soup was created in Budapest rather than in the Palóc region, it is no exaggeration that the great cook expressed the essence of Palóc cooking through it: this richness and character is typical of Palóc cooking even today. Palóc pecsenye (Palóc roast pork), for example, is pork chops, which are beaten, rolled in flour mixed with red paprika, browned and then cooked until tender in a stock seasoned with garlic and mustard. The result is rather spicy and very tasty. The dessert served at Palóc weddings, called örömkalács, a kind of brioche, is made from leavened dough with raisins, walnuts and other delicacies, baked in huge baking tins; when it is ready, it is turned out of the tins onto large majolica dishes and carved sticks are stuck into the four corners. These sticks each hold three or four strings of popcorn, strung on thread an hung from them. This decorated örömkalács is put in the middle of the wedding table and cut in such a way that everybody can have a slice from it.

The region of the Tokaj Hills is presumably the best known part of Hungary because of the international fame of Tokaj wine. (This wine was included on the wine-list — called "wine of kings" — the king of wines" — in the court of Louis XIV.) Tokaji aszu is the most famous of the Tokaj wines, but Tokaji szomorodni, olaszrizling, furmint and hárslevelű are also great wines. Then there is Tokaj essence, the miraculously fine product of grapes affected by the noble rot: an unfortumately rare and rather expensive delicacy.

Among the Tokaj Hills you soon discover its other attractions. On the hill-tops stand old fortresses, in the valleys Baroque castles, ancient villages in which old

ból, szokásból ötvöződött össze: a honfoglalás korában érkezett magyaroktól, a kazároktól a későbbi korokban idetelepült olaszokig, vallonokig, görögökig, németekig jó néhány náció magával hozta főzési szokásait, receptjeit.

A Tokaj szó voltaképpen egy 515 méter magas hegy és a lábánál elterülő városka neve. A bor, amit tokajinak neveznek, azonban ennél jóval nagyobb területen terem: mintegy 55 kilométer hosszan húzódó, 275 négyzetkilométeres terület Tokaj-Hegyelja, amelyen 28 község található. A borvidék egy Sátorhegy nevű magaslatnál kezdődik Abaújszántó község határában és a Sátorhegynél végződik, Sátoraljaújhely városnál. "Incipit in Sator, definit in Sator" – a régi mondás szerint.

Termékeny, istenáldotta vidék ez, a Tisza és a Bodrog folyók találkozásánál. Vulkáni eredetű talaja, napfényes klímája különösen alkalmassá teszi a szőlőtermesztésre, de nagyon finom és zamatos gyümölcs, zöldségféle s egyéb vetemény is terem errefelé. Híresen jó paradicsomot, karfiolt, lencsét, babot termesztenek, aromás körtét, illatos szilvát, ringlót. A hegyekben sok a gomba, még a szarvasgomba is megterem. A Tokaj-Hegyalja konyha finomságát mindezeken felül még a napos domboldalakon, ligetekben szorgalmasan gyűjtögetett – és a kiskertekben termesztett – illatos fűveknek is köszönheti; a majorannától a bazsalikomig terjed e természetes fűszerek skálája. A borral való főzésnek külön rituáléja alakult ki Tokaj-Hegyalján, mondani sem kell talán. Minden ételt az éppen hozzá illő tokaji borral kell főzni-sütni, locsolgatni, s éppen a kellő pillanatban. A harcsát fanyar olaszrizlinggel kell sütés közben locsolgatni – a birkapaprikást ezzel szemben a főzés vége felé illik megkeresztelni a testes tokaji furminttal. A tokaji borleveshez, amely nevét megcáfolva nem igazi leves, hanem inkább sodószerű édesség, édes szamorodni jár és így folytathatnánk még sokáig. Ám a borral való főzés titkai közt talán eligazítja némiképpen az olvasót, ha azt tanácsoljuk,

customs and crafts are still alive. And all these are underscored by the flavours of a cooking tradition which is itself the marriage of a number of different traditions: those of the Magyar settlers, of the kazár people, of the Italians who arrived later, of the Vallon people, of the Greeks and of the Germans, who all brought their own cooking traditions and recipes with them.

The word Tokaj itself designates a 515 metre high hill and a small town at its foot. The wine which is called tokaji comes from a much larger area, from the Tokaj Hills, whioch extend for 55 kilometres in length and occupy an area of 275 square kilometres, in which stand 28 settlements. The wine producing area begins at a hill called Sátorhegy near the village called Abaújszántó and ends at another hill called Sátorhegy near the town of Sátoraljaújhely. Incipit in Sator, definit in Sator runs the old saying.

Fertile and blessed region, then, at the meeting of the river Tisza and the river Bodrog. Its volcanic soil and sunny climate make it especially suitable for vineyards but also for fine fruits and vegetables. Its best produce includes tomatoes, cauliflowers, lentils, beans, pears, fragrant plums and greengages, In the hills there are many types of mushrooms, even truffles. Apart from these, the character of the cooking in Tokaj Hills is also determined by the herbs collected from where they grow wild on the sunny hillsides and groves, or grown in kitchen gardens. Needless to say, there is a whole ritual about cooking with wine in the Tokaj Hills. Every dish has to be cooked, braised or finished with the appropriate Tokaj wine and at just the right moment. Catfish needs the tart olaszrizling (made, as its name suggests, from the Italian Riesling grape) while cooking, while mutton stew has to be "Christened" with the full-bodied Tokaji furmint towards the end of the cooking process. Tokaji borleves (wine soup), which is, despite the name, not a soup, rather a

201

hogy saját ízlésére hallgasson leginkább. Ha a recept javall valamely bort, ez eligazítja némiképpen, de a legjobb, ha főzés közben többször is kóstolgatja a készülő ételt, s ha úgy véli, hogy el kell térnie a hagyományos recepttől – ne habozzék egy pillanatra sem. Hiszen – hogy csak egy körülményt említsünk – a borok bukéja, zamata évjáratonként is változik. Válassza tehát azt a bort, amely ízre, testességre, bukéra a legjobban megfelel, a legharmonikusabban festi alá a készülő étel ízét, karakterét. Vagyis megint csak Goethe mondásának van igaza, amely szerint "fakó minden teória, s a lét aranyló fája zöld".

Tokaj-Hegyalja szellemi központja, Sárospatak ódon házai közt barangolva az első benyomás annak szól, hogy mily fontos része a magyar kultúrának – és ugyanakkor az európainak – e Bodrog-parti városka. A sárospataki várhoz vezető út mellett emelkedő Erzsébet templomot annak emlékére építették a középkorban, hogy itt született 1207-ben Árpádházi Szent Erzsébet, aki német földön véghezvitt jótéteményei miatt lett a római katolikus egyház szentje. A város egy másik részében a református kollégium épülete emelkedik. Külső megjelenésében a 19. század ízlését idézi – részben a klasszicizmus mesterének, Pollack Mihálynak műve, részben másoké –, de a kollégium eredete ennél sokkal messzebbre megy vissza időben: a 16. század derekán alapították és a 17. században – Rákóczi György erdélyi fejedelemsége idejében – már a protestantizmus egyik szellemi központja volt. Egyebek közt e kollégium falai közt oktatott: Jan Amos Comenius, aki itt alkotta a pedagógia történetében új fejezetet nyitó Orbis Pictusát. A 18. század elején II. Rákóczi Ferenc, a kuruc szabadságharc vezére, országgyűlést hívott össze Sárospatakra. Később a Trautsohn, a Bretzenheim, végül a Windischgrätz hercegek birtokának székhelye volt a várkastély. A Windischgrätzek máig tartják a kapcsolatot: amikor egy bizonyos Fodor néni, aki ifjú korában a kastélyban szobalánykodott, kilencve-

dessert, needs sweet szomorodni, and so on and so forth. Perhaps you will find your own way among the secrets of cooking with wine if you rely upon your own instinct. If a recipe suggests a particular wine, this can be taken as a signpost but the best procedure is to taste frequently while cooking; if you think your should depart frrom the traditional recipe, do not hesitate to do so, since the bouquet and body of a wine changes from year to year. So choose the wine whose taste, body and bouquet suits the meal best and which best emphasises the taste and character of the dish. After all, Goethe was right when he said that all theories are grey, only the tree of life grows green.

Sárospatak is the centre for the arts and education of the Tokaj Hills. A stroll among its old buildings immediately shows how important a part the small town has played in the history of culture in Hungary, and indeed, in Europe. At the side of the road leading towards the castle of Sárospatak stands a church called the Erzsébet-templom, which was built in the Middle Ages in memory of St Erzsébet, a princess of the Árpád dynasty, who was born here in 1207, and who was canonized because of her charitable works in Germany. In another part of the town stands the Calvinist college. Its appearence reflects the tastes of the 19th century (partly built by Mihály Pollák, a master of the neoclassic); however, the history of the college goes back much further in time. It was founded in the middle of the 16th century, and was an intellectual centre of Protestantism in the 17th century, in the time of György Rákóczi, who was then the Prince of Transylvania. A number of outstanding teachers taught here, including Jan Amos Comenius, whose opus magnum, Orbis Pictus, opening a new chapter in the history of education, was written here. At the beginning of the 18th century, Ferenc Rákóczi II, who led the Hungarian resistence to Habsburg rule, summoned the Parliament to Sárospatak. Later the

nedik születésnapját ünnepelték, Windischgrätz Nathalie hercegnő átjött Ausztriából, hogy részt vegyen a százötven személyes vacsorán. Tokaj-Hegyalja konyhájának legjobb fogásai jelentek meg a tálakban, persze. A sárospataki húsleves például, amelynek a környéken termő karfiol, karalábé, sárgarépa és más zöldségfélék adnak kellemesen friss ízeket. Vagy a boros-paradicsomos szelet, amely pikáns mártással leöntött sült sertésbordákból áll, melyekhez pirított szalonna zsírjában és tokaji furmintban párolt vöröskáposzta járul körítésnek, benne a káposztával összepárolt almaszeletekkel. Desszertnek egyek közt tokaji boros aszalt szilvát adtak, ami úgy készült, hogy a szilvát tokaji szamorodni borba beáztatják, majd a magok helyébe egy-egy mandulabelet tesznek, s végül a szilvákat cukros-boros lében addig főzik, amíg a leve elforr, akkor kiszedik, két napig "érni" hagyják, csak ezt követően kerül asztalra deszszertnek. Igen jól esik utána az étkezés végén felszolgált tokaji aszúbor.

Tokaj-Hegyaljáról szólva befejezésül el kell mondanunk e híres bor keletkezésének történetét, amely némileg módosult a legutóbbi kutatások fényében. Kazinczy Péter hajdani ítélőmester feljegyzése alapján a történet úgy került a köztudatba, hogy az első aszúbort Szepsi Laczkó Máté, Loránffy Zsuzsanna fejedelemasszony udvari lelkésze készítette volna az 1640-es évek táján, s ezzel mint húsvéti borral kedveskedett úrnőjének. Csakhogy az aszúkészítés sokkal régebben kezdődött Tokajban az újabban feltárt adatok szerint. Már 1573-ban említi Tokaj Törvénykönyve a "fő-bort", ami alatt az aszút értették. Fabricius Balázsnak, a sárospataki iskola rektorának Nomenclatura című művében pedig éppenséggel az "aszúbor" kifejezés szerepel, holott ez a könyv 1590-ben látott napvilágot. A tokaji bor karrierje valójában az 1490-es években kezdődött – állítja Pap Miklós, a téma tudós kutatója. Addig csak kétszer kapálták évente a szőlőt Magyarországon, ám valami okból

castle fell into the hands of Austrian aristocrats, first the Trautsohn family, then the Bretzenheim family, before eventually becoming the seat of Prince Windischgrätz's estate. The Windischgrätz family are still in contact with the town today; when a certain Mrs Fodor who had once been a maid in the castle in her younger days, celebrated her 90th birthday, Princess Nathalie Windischgrätz came all the way from Austria to attend a celebratory dinner for 150 guests. Naturally, all the best dishes of the Tokaj Hills were served. Sárospatak meat soup was one: this has a pleasantly fresh taste from the cauliflower, kohlrabi, carrots and other vegetables that are grown locally. There was also a pork in wine and tomato sauce dish; this consists of braised pork ribs served in a piquant sauce and garnished with red cabbage and apple slices steamed in bacon fat mixed with tokaji furmint. One of the desserts was a plum in Tokaj wine dish; for this the plums are steeped in tokaji szamorodni, their stones are removed and replaced by a peeled almond and finally the plums are cooked in wine with sugar until the liquid evaporates. Then the plums are taken out of the pot and set aside to mature for two days before finally arriving at the table. The go very well with the tokaji aszu served at the end of the meal.

Speaking of the Tokaji Hills we must not ignore the history of this famous wine, which has been slightly modified in the light of the latest research. Because of a record made by a judge in olden times, Péter Kazinczy, it was generally believed that the first aszu wine was made by Máté Szepsi Laczkó, the chaplain to Princess Zsuzsanna Lorántffy, around the 1640s and that he gave it to his lady as an Easter present. However, more recently discovered data suggest that the making of aszu wine started in Tokaj much earlier than that. The 1573 statute book of Tokaj already mentions a "high-wine", by which they meant aszu.

Tokaj-Hegyalján bevezették a háromszori kapálást. Ennek következtében a szőlő vegetációs ideje meghosszabbodott, levelei a szeptember-októberi hónapokban is frissek, üde zöldek maradtak. Az októberi hűvös éjszakák és meleg nappalok, a folyókból felszálló párák hatására a szőlőszemek töppedni, aszúsodni kezdtek. A Botrytis cinerea, a "szürkepenész" ilyenkor nemes rothadást idéz elő, aminek következtében a bogyók héja megvékonyodik és a vékony héjon át a víz elpárolog. Miközben a bogyók leve édesebbé válik, finom íz- és zamatanyagok termelődnek, amelyek együttesen adják az aszúbor egyedülálló ízhatásait. Az aszúszemeket szüret után kiválogatják, tésztává gyúrják, felöntik musttal, vagy tokaji óborral. Így készült az aszúbor hajdan – így készül ma is! Aszerint, hogy hány puttony aszútésztához adnak egy gönci hordó (kb. 136 liter) mustot vagy óbort, nevezik az aszúbort 3, 4, avagy 5 puttonyosnak. Ezek a szokásos aszúborok, 6 puttonyost csak kivételesen készítenek. A másik nevezetes tokaji bor, a szamorodni, úgy készül, hogy az aszúszemeket nem válogatják külön, hanem együtt préselik ki a többivel. Mivel az aszúszemek aránya lehet több vagy kevesebb, aszerint, hogy mennyi napsütés volt az illető esztendőben, a szamorodni lehet száraz vagy édeskés, évjárat szerint.

In another book, Nomenclatura, by Balázs Fabricius, the dean of the college of Sárospatak, the aszu name is used and this book was published in 1590. The career of Tokaj wine started as early as the 1490s, says Miklós Pap, the scholar who has done much research on the topic. Until then vineyards were hoed only twice a year in Hungary but, for some reason, in the Tokaj Hills a third hoeing was introduced. Because of this the vegetation period of vine-plants became longer, the leaves were still fresh and green even in Spetember and October. The cool October nights and warm days, the vapour coming from the streams caused the wine grapes to start shrivelling and this process is called aszu in Hungarian. Botrytis cinerea, the grey mould, causes a kind of rot under these circumstances, which makes thinner the skin of the fruit through which water evaporates. The fruit becomes sweeter and sweeter and the grape produces the flavour and scent which are jointly responsible for the unique character of aszu wine. The shrivelled bunches of grapes are sorted out after harvest, kneaded together and must or old wine is added. This is the traditional method of making aszu wine and this is the the method even today. The wine has three main categories (which are shown on the labels): 3, 4, or 5 puttonyos. The number means the number of butts (puttony) of aszu pulp used to mix with one barrel (cca 136 litres) of must or wine. These three are the customary but there is a 6 puttonyos aszu wine, which is only very rarely made. The other famous Tokaj wine, szamorodni, is made when the aszu bunches are not treated separately but pressed out together with the rest. As the proportion of aszu bunches can be higher or lower, according to the sunshine the vineyards receive in the given year, szamorodni can be dry or sweet, depending on the vintage.

RECEPTEK

Palóc leves

Hozzávalók: *800 g kicsontozott birka- vagy marhahús, 1 evőkanál zsiradék, 1 fej vöröshagyma, 350 g burgonya, 400 g zöldbab, 1 evőkanál liszt, 2 evőkanál tejfel, só, pirospaprika, babérlevél, köménymag, törött bors, 2 szelet fültölt szalonna, 2 gerezd fokhagyma.*

A vöröshagymát apróra vágjuk, megpirítjuk szalonna zsírjában, meghintjük paprikával. A húst megmossuk, kockákra vágjuk, hozzáadjuk a zsírban pirított hagymához, köménymagot, fokhagymát adunk hozzá, egy kis vizet öntünk alá és fedő alatt megpároljuk, majd hozzáadunk annyi vizet, hogy kb. egy liter legyen, sózzuk, beletesszük a többi fűszert és fedő alatt mérsékelt lángon főzzük.

Külön, sós vízben főzzük meg a feldarabolt zöldbabot.

Rántást készítünk, mikor szép aranybarna, hideg vízzel felengedjük és a fazékban lévő leveshez adjuk.

A burgonyát kockákra vágva, sóval, babérlevéllel megfőzzük. Adjuk a zöldbabot is, a burgonyát is a főzővizükkel együtt a leveshez. Sózzuk utána ízlés szerint, borsozzuk, főzzük készre. A végén habarjuk be tejföllel. Melegen tálaljuk, a leves tetejét meghintjük finomra vágott petrezselyemzöldjével.

Fokhagymás sajtleves

Hozzávalók: *100 g reszelt sajt, 40 g margarin, 100 g tejszín, 1 húsleveskocka, 1 púpozott evőkanál liszt, 1 csokor metélőhagyma, 2 gerezd fokhagyma, 1 pohárka száraz szamorodni vagy rizling.*

Balaton
Tokaj-Hegyalja,
Tokaj Hills

208. oldal
p. 209

Palóc leves
Palóc soup

210. oldal
p. 211

Bográcsos malachús
Piglet in cauldron

212 oldal
p. 213

Tokaji sertésborda
Tokaj pork chops

214 oldal
p. 215

Mátrai szarvasszelet
Venison Mátra style

216 oldal
p. 217

Boros tyúk
Hen cooked in wine

216 oldal
p. 217

Tokány tokaji módra
Tokány Tokaj style

220 oldal
p. 221

Alma bortésztában

Apple in a wine-
flavoured pastry

RECIPES

Palóc soup

800 gm/1 3/4 lb mutton or beef, boned and diced, 1 tablespoon lard, 1 Spanish onion, chopped finely, 350 gm/12 oz potatoes, peeled and diced, 400 gm/14 oz French beans, cut into inch-long pieces, 1 tablespoon sour cream, salt, pinch of paprika, 1 bay leaf, pinch of caraway seeds, ground black pepper, 2 slices smoked bacon, 2 cloves garlic, handful of parsley, chopped

Fry the bacon until it renders its fat, remove the bacon dice and sautée the onion in the fat. Sprinkle with paprika, add the meat, caraway seeds and garlic. Stir well, add a little water and simmer under cover. When the meat is half tender add water to make about 1 litre (1 3/4 pints) of liquid, salt and pepper to taste and continue simmering on moderate heat. In a separate pot cook the French beans. And in a third pot cook the potatoes with salt and the bay leaf. Make a roux with the lard and the flour; when the flour is of a light brown colour, add a little cold water stirring continuously and thicken the soup with it. When the French beans and the potatoes are cooked, add them to the soup together with their cooking liquids. Correct for salt and pepper and thicken the soup with sour cream mixed with the flour. Serve hot, sprinkled with parsley.

Cheese soup with garlic

100 gm/4 oz cheese, grated, 40 gm/1 1/2 oz margarine, 100 gm/4 oz cream, 1 stock cube, 1 tablespoon flour, handful of chives, finely chopped, 2 cloves garlic, crushed, 1 glass dry white wine (szamorodni or rizling),

Világos rántást készítünk a margarinból és a lisztből, egy liter vízzel felengedjük. Beletesszük a húsleveskockát és a finomra tört fokhagymát. Öt-hat percig forraljuk, majd hozzáadjuk a fehérbort. Levesestálban összekeverjük a reszelt sajtot a tejszínnel, erre öntjük a forró levest. Finomra vágott metélőhagymával meghintjük tálalás előtt.

Gombás káposztaleves

Hozzávalók: *100 g savanyú káposzta, 100 g gomba, 150 g füstölt kolbász, 200 g tejfel, 1 csomó kapor, 1 evőkanál liszt, só, törött bors, 1 evőkanál zsiradék.*

A gombát feldaraboljuk, a felhevített zsíron kis vizzel megpároljuk.

A savanyú káposztát megmossuk, kinyomkodjuk, vízben feltesszük főni, hozzátesszük a karikára vágott kolbászt is. Mikor felforrott, hozzáadjuk a gombát. A tejfelt liszttel simára keverjük, a levesbe habarjuk. További főzés közben borssal, szükség szerint sóval ízesítjük, hozzáadjuk a finomra vágott kaprot is és készre főzzük.

Bográcsos malachús

Hozzávalók: *800 g malachús, 100 g füstölt szalonna, 2 fej vöröshagyma, 2 gerezd fokhagyma, 100 g zöldpaprika, 100 g paradicsom, 200 g gersli, pirospaprika, só.*

A bőrös malachúst kockákra vágjuk. Ugyancsak feldaraboljuk kockákra a füstölt szalonnát is, az utóbbit a bográcsba tesszük, majd az apróra vágott vöröshagymát a forró zsiradékban aranysárgára pirítjuk. Meghintjük pirospaprikával és rátesszük a malachúst. Egy kis vizet öntünk alá, miután jól összekevertük, hozzáadjuk a gerslit is. Tovább

Make a light roux from the margarine and the flour, adding one litre (1 3/4 pints) of water. Add the stock cube and the garlic. Bring to the boil and cook for about 5 minutes then add the wine. Remove from heat.

In a soup tureen mix the cream with the cheese and ladle the hot soup over it. Sprinkle with chives before serving.

Cabbage soup with mushrooms

100 gm/4 oz sauerkraut, 100 gm/4 oz mushrooms, chopped, 150 gm/5 oz smoked spiced sausages, cut into rounds, 200 gm/7 oz fresh dill, chopped, 1 tablespoon flour, salt, ground black pepper, 1 tablespoon lard

Sautée the mushrooms in the lard, adding a little water. Wash the sauerkraut and press the liquid out with your hands. Cook it in plenty of water with the sausages and when it starts boiling add the mushrooms. Mix the sour cream with the flour and thicken the soup with it. Flavour with salt and pepper and add the dill before serving.

Piglet in cauldron

800 gm/1 3/4 lb unskinned piglet, diced, 100 gm/4 oz smoked bacon, diced, 2 Spanish onions, chopped finely, 2 cloves garlic, crushed, 100 gm/4 oz yellow peppers, sliced lengthwise, 100 gm/4 oz tomatoes, quartered, 200 gm hulled barley, paprika, salt

Fry the bacon in the cauldron until it gives off its fat and sautée the onions together with the bacon dice. Sprinkle with paprika, add the meat and a little water. Mix well and add the barley. Cook until the meat is almost tender, then

főzzük, mikor már kezd megfőni a hús, hozzáadjuk a csíkokra vágott zöldpaprikát, a cikkekre vágott paradicsomot, sózzuk, szétnyomkodott fokhagymát adunk hozzá. Szükség szerint vizet öntünk hozzá, s tovább főzzük, amíg az egész jól összefő.

Tokaji sertésborda

Hozzávalók: *300 g sertésborda, 4 evőkanál olaj, 1 kiskanál liszt, 1 evőkanál paradicsompüré, 400 g száraz tokaji szamorodni bor, 200 g szőlő, só, őrölt bors.*

A felszeletelt, kissé kivert hússzeleteket megsózzuk, lisztbe mártjuk és egy kevés forró olajban mindkét oldalukat megsütjük. Egy másik edénybe átrakjuk a hússzeleteket.
Ezután a paradicsompürét belekeverjük a visszamaradt pecsenyelébe, majd liszttel meghintjük és néhány percig pirítjuk. Ezután a borral felengedjük és felforraljuk. Megsózzuk, borsozzuk és 15 percig gyenge lángon forraljuk. A hússzeletekre öntjük a pecsenyelét, s a húst puhára pároljuk. A legvégén beleszórjuk a megmosott szőlőszemeket. Melléje borízű almaszeletekkel együtt párolt káposztát adunk, amelyet egy kevés tokaji borral megöntözünk.

Borban párolt nyúlgerinc

Hozzávalók: *1 kg nyúlgerinc, 100 g füstölt szalonna, 2-2 szál petrezselyemgyökér és sárgarépa, 300 g száraz szamorodni, 1-1 evőkanál liszt, zsiradék, 200 g tejfel, 150 g gomba, só, törött bors, babérlevél, citromlé ízlés szerint.*

A nyúlgerincet bepácoljuk ecetes-mustáros-olajos páclében, egy napig benne hagyjuk állni. Akkor kivesszük a pác-

add the peppers and tomatoes, salt to taste and the garlic. Add some more water if necessary and cook together until all ingredients are tender.

Tokaj pork chops

300 gm/11 oz pork chops, 2 tablespoons oil, 1 tea-spoon flour, 1 tablespoon tomato puree, 400 gm/14 oz dry tokaji szamorodni (or dry sherry), 200 gm/7 oz grapes, washed, salt, groung black pepper

Beat the pork chops lightly, salt and dip them into flour. Fry both sides a little hot oil. Remove the chops from the pan putting them onto another dish, and add the tomato puree to the gravy, sprinkle with a little flour and sautée for some minutes. Stir in the wine, bring the sauce to the boil. Flavour with salt and pepper and simmer on a low flame for 15 minutes. Pour the sauce over the meat and simmer again until the meat is tender. At the end throw in the grapes. Serve the meat with cabbage steamed together with slices of cooking apples and mixed with a little Tokaj wine.

Saddle of hare braised in wine

1 kg/2 lb saddle of hare, 100 gm/4 oz smoked bacon, cut into strips, 2 carrots, cut into rounds, 2 parsnips, cut into rounds, 300 gm/11 oz dry szamorodni (or sherry), 1 tablespoon flour, 1 tablespoon lard, 200 gm/7 oz sour milk, 150 gm/5 oz mushrooms, chopped, salt, ground black pepper, 1 bay leaf, lemon juice to taste

Make a marinade with some oil, mustard and vinegar and let the meat stand in it for a day. Remove and reserve the marinade.

léből, amit később a nyúlaprólékkal együtt felhasználhatunk pástétomkészítéshez. A nyúlgerincet szalonnával megspékeljük, forró zsírral leöntjük, melléje tesszük a megtisztított, karikákra vágott zöldséget. Együtt hagyjuk pirulni, majd felöntjük borral, fűszerezzük sóval, törött borssal, babérlevéllel és egyenletes lángon puhára pároljuk. Mikor már majdnem kész, hozzáadjuk az apróra vágott gombát és megvárjuk, amíg ez is megpuhul. Ekkor kivesszük a nyulat a léből és feldaraboljuk. Közben a levét egy kevés liszttel besűrítjük, majd citromlével ízesítjük, végül tejfellel behabarjuk. Egy kevés lével meglocsoljuk a tálra rakott húst, a maradékot mártásként, külön csészében tálaljuk.

Mátrai szarvasszelet

Hozzávalók: *700 g szarvascomb, 1 fej vöröshagyma, 2 paradicsom, 1 kg burgonya, 3 zöldpaprika, 2 evőkanál zsiradék, pirospaprika, só, köménymag, őrölt bors.*

A húst felvágjuk négy szeletre, kiklopfoljuk, meghintjük sóval és törött borssal. Serpenyőben felhevítünk egy evőkanál zsiradékot és ebben a hússzeleteket mindkét oldalukon kissé megpirítjuk.

Egy másik edényben felhevítjük a zsiradék másik felét, s az apróra vágott hagymát aranysárgára pirítjuk benne. Hozzáadjuk a köménymagot, paprikát, felöntjük egy kis vízzel. Fedő alatt hagyjuk párolódni néhány percig.

A hagymás zsírt a szarvashússzeletekre öntjük, egy kis vizet adunk hozzá és kis lángon, fedő alatt pároljuk. Időnként egy kis vizet öntsünk hozzá, ha elfőtt a leve.

Amikor a hús majdnem készre főtt már, hozzáadjuk a cikkekre vágott paradicsomot, a csíkokra vágott zöldpaprikát, a kockákra vágott burgonyát és kis lángon addig főzzük, amíg a hús is, a burgonya is jól megfőtt. Megkóstoljuk, utánasózzuk szükség szerint. Melegen tálaljuk.

Lard the hare with bacon, place into a casserole, pour over hot lard, put the carrots and parsnips beside the meat and let it sautée together. Add the wine, salt, pepper and the bay leaf and simmer slowly until tender. When it is almost ready, add the mushrooms and cook for five minutes. Take the meat out of the dish and slice it on a serving plate. Thicken the gravy with a little flour, flavour with lemon juice then stir in the sour cream. Pour some of this sauce over the meat and serve the rest in a sauce boat.

Venison Mátra style

700 gm/1 1/2 lb leg of venison, 1 Spanish onion, chopped, 2 tomatoes, quartered, 1 kg/2 lb 2 oz potatoes, peeled and diced, 3 yellow peppers, sliced lengthwise, 2 tablespoons lard, paprika, salt, pinch of caraway seeds, ground black pepper

Cut the meat into four slices, beat, then salt and pepper them. Heat half of the lard in a frying pan and brown the slices of meat on both sides. In another pan heat the rest of the lard and sautée the onion in it until golden brown. Add the caraway seeds, the paprika and a little water. Let it simmer under cover for some minutes. Pour the lard with the onions on the venison, add some more water and simmer covered. Add more water from time to time.

When the meat is almost tender add the tomatoes, peppers and potatoes and cook over low heat until all ingredients are tender. Taste for salt and serve hot.

Boros tyúk

Hozzávalók: *1 tyúk, 2-2 szál sárgarépa és petrezselyem-gyökér, 30 g vaj, 2 evőkanál liszt, 700 g tokaji száraz fehérbor, 100 g tejszín, 1 tojássárga, 1 citrom, só, őrölt bors.*

A megtisztított tyúkot fele mennyiségű vízben és fele fehérborban feltesszük főni. A karikákra vágott sárgarépát, gyökeret hozzáadjuk, sóval és őrölt borssal fűszerezzük. Amikor a tyúk megpuhult, kiemeljük a boros léből, bőrét lehúzzuk, húsát feldaraboljuk.

A levét világos, vajas rántással berántjuk, mártás sűrűségűre beforraljuk, reszelt citromhéjjal és citromlével ízesítjük. A tyúkhúst beletesszük és mégegyszer felforraljuk. Ezután levesszük a tűzről, a tejszínt tojássárgájával összekeverve hozzáadjuk.

Óvatosan elkeverjük, majd azon frissiben tálaljuk.

Tokány tokaji módra

Hozzávalók: *500 g marhahús, 500 g sovány disznóhús, 100 g füstölt szalonna, 1 fej vöröshagyma, 100 g tejfel, 200 g száraz szamorodni bor, 100 g gomba, 1 evőkanál liszt, só, egész bors, pirospaprika, majoránna.*

A húsokat megmossuk, felvágjuk 10 centis darabokra. A szalonnát felszeleteljük, feltesszük sülni, majd a zsírjában az apróra vágott vöröshagymát aranysárgára pirítjuk. Hozzáadunk pirospaprikát, egy kis vizet és néhány percig főni hagyjuk. Ezután beletesszük a marhahúst, sózzuk, fűszerezzük, ráöntünk a borból és fedő alatt egy óráig főzzük mérsékelt lángon. Ekkor a disznóhúst is hozzáadjuk és ráöntjük a maradék bort. Fedő alatt kis lángon pároljuk to-

Hen cooked in wine

1 hen, cleaned, 2 carrots, sliced in rounds, 2 parsnips, sliced in round, 30 gm/1 oz butter, 2 tablespoons flour, 70 cl bottle dry Tokaj wine, 100 gm/4 oz cream, 1 egg yolk, 1 lemon, salt, ground black pepper

Put the hen into a large pot to cook in the wine and the same amount of water. Add the carrots and parsnips and season with salt the pepper. When the hen is tender, remove from the liquid, skin and cut into serving pieces. Make a light roux with the butter and flour and thicken the soup with this; bring to the boil and cook until it has the thickness of a sauce. Flavour with the juice and the grated peel of the lemon. Put the meat back into the soup and bring it to the boil again. Remove from the heat and stir in the egg yolk mixed with cream. Serve immediately.

Tokány Tokaj style

500 gm/1 lb 2 oz beef, cut into 10 cm/4 inch strips, 500 gm/1 lb 2 oz lean pork, cut into 10 cm/4 inch pieces, 100 gm/4 oz smoked bacon, sliced, 1 Spanish onion, chopped finely, 100 gm/4 oz sour cream, 200 gm/7 oz dry szamorodni (or sherry), 100 gm/4 oz mushrooms, chopped, 1 tablespoon flour, salt, 4-5 black peppercorns, paprika, marjoram

Fry the bacon slices until they render their fat, add the onion and sautée together until golden brown. Add the paprika, a little water and cook for some minutes. Add the beef, flavour with salt, pepper and marjoram, pour some of the wine over the meat and simmer for an hour on a low flame. Add the pork and the rest of the wine. Cover

vább, amíg a húsok jól megpuhulnak. Ha szükséges, fővés közben hozzáadunk egy kis vizet időnként.

Eközben külön lábosban, zsiradékban megpároljuk a darabokra vágott gombát. Hozzáadjuk a fővő húshoz és körülbelül negyedóra hosszat együtt főzzük vele. Mikor minden jól átfőtt, levesszük a tűzről, a tejfelt liszttel simára keverjük, beleöntjük a tokányba és alaposan elkeverjük. Még egy ideig mérsékelt lángon hagyjuk főni, majd tálaljuk.

Tokaji borleves

Hozzávalók: *4 tojás sárgája, 600 g tokaji édes szamorodni, 3 evőkanál cukor, citromhéj.*

A 4 tojás sárgáját habverővel habarjuk, majd hozzáadjuk a bort, s ezután 400 g vizet, amelyben 2 evőkanál cukrot olvasztottunk fel előzőleg. Eközben állandóan folytatjuk a kavarást. Fél citrom reszelt héjával összekeverjük a maradék cukrot és azt is hozzáadjuk. Feltesszük a tűzre és folytonos kavarás közben a forrástól számított 6-8 percig főzzük.

Cukrozott aszalt szilva tokaji borban

Hozzávalók: *1 kg aszalt szilva, 1 liter tokaji édes szamorodni, 100 g cukor, 200 g mandulabél.*

A kimagozott aszalt szilvát 2 órára beáztatjuk a borba. Ezután leöntjük róla a bort és minden mag helyébe egy-egy mandulabelet teszünk. Ezt követően a félretett borba 150 g cukrot teszünk, beletesszük a szilvákat és addig főzzük, amíg a leve elforr. Ekkor a szilvákat porcelán tálra rakjuk és két napig állni hagyjuk. Nagyon finom frissen fogyasztva is, de fóliába csomagolva sokáig kitűnően el is tartható.

and simmer slowly until the meat is tender. Add some water if necessary. Meanwhile in another pan sautée the mushrooms in lard. Add to the meat and cook togehter for about 15 minutes. Remove from heat and thicken the sauce with sour cream mixed with flour. Simmer for some more minutes before serving.

Tokaj wine soup

4 egg yolks, 60 cl/1 pint sweet szamorodni/or sherry, 3 tablespoons sugar, grated peel of 1/2 lemon

Beat the egg yolks with a whisk and add the wine. Dissolve 2 tablespoons of sugar in 40 cl (3/4 pint) of water and add to the mixture stirring continuously. Mix the rest of the sugar with the lemon peel and add to the soup. Cook over low heat and, stirring all the time, bring it to the boil and simmer for 6-8 minutes.

Prunes steeped in Tokaj wine

1 kg/1 lb 2 oz prunes, 1 litre/1 3/4 pt sweet szamorodni (or sherry), 100 gm/4 oz sugar, 200 gm/7 oz almonds

Stone the prunes and soak them in the wine for 2 hours. Drain, keeping the wine, and replace the stones with an almond for each plum. Add the sugar to the wine, put the prunes into it and cook until the liquid evaporates. Place the prunes on a china plate and set aside for two days. It is delicious served like this but keeps if wrapped into aluminium foil.

Alma bortésztában

Hozzávalók: *8 alma, 1 citrom leve, 1 evőkanál porcukor, a bortésztához: 120 g liszt, 6 evőkanál fehérbor, 1 tojás, 1 evőkanál porcukor, 1 kiskanál olaj, csipetnyi só, olaj a sütéshez.*

A lisztből a borral, tojással, kiskanálnyi olajjal, cukorral, csipetnyi sóval tésztát keverünk. Az almákat meghámozzuk, magházukat kiszedjük és húsukat fél centiméter vékony karikákra vágjuk. Minden szeletet citromlével megöntözünk, nehogy megbarnuljon.

Egy mély serpenyőben olajat forrósítunk, a bortésztába mártott almakarikákat aranysárgára sütjük benne.

Itatós papírra szedjük ki, hogy a felesleges olajat felszívja. Porcukorral meghintve, melegen tálaljuk. Áfonyadzsemet adunk melléje.

Apple in a wine-flavoured pastry

8 apples, peeled and cored, cut into 1/2 cm/1/5 inch rounds, juice of 1 lemon, 1 tablespoon sugar, for the pastry:, 120 gm/6 1/2 oz flour, 1 egg, 6 tablespoon white wine, 1 tablespoon castor sugar, 1 teaspoon oil, pinch of salt, oil for frying

Make a dough from the flour and the wine with the egg, oil, sugar and salt. Peel and core the apples and cut into 1/2 cm (1/5 inch) thick slices. Pour lemon juice over each slice to prevent discolouring.

Heat the oil in a deep frying pan, dip the apple slices into the pastry and fry them to a golden brown colour. Place the apples on kitchen paper to take off the excess oil. Sprinkle castor sugar on top and serve hot. Bilberry jam is a good accompaniment.

Felvidéki ízek

Az észak-magyarországi ízek – amelyekről az előző feje-
zetben szóltunk – nem érnek véget az országhatárnál,
amely a Duna mentén, s az Északi-középhegység vonulatá-
nál húzódik, hanem ugyanúgy élnek azon túl is, mint haj-
danán. Ami alatt elsősorban az értendő, hogy a magyar fő-
zésmód, a fűszerezés, a jellegzetes fogások megtalálhatók
mindenfelé, s hatnak a szlovák konyhára is – egy-
szersmind a felvidéki magyar konyha is átvett hellyel-közzel
szlovák fogásokat. A "kiadósság", amiről a palóc konyha
kapcsán szóltunk, igencsak jellemezte mindig a felvidéki
magyar étkezés egészét. Mikszáth Kálmán egyik írásában
valamelyik Keglevich grófról anekdotázik, aki előtt Bécs-
ben fiatal korában nagyon dicsérték a francia követ szaká-
csát, mire dupla bér ígéretével megszöktette a jeles főző-
művészt és elvitte felvidéki birtokára. Nagy botrány lett
ebből, s a császár utasítására József nádor egy bizonyos
Barkóczy nevű hivatalnokot küldött el Keglevich birtokára,
hogy hozza vissza a szakácsot, bármibe kerüljön is. Barkóczy
ámulva látta, hogy a várt francia ételek helyett előbb jó,
erős húslevest hoznak be csigatésztával, majd babfőzelék
következik füstölt oldalassal. Ezt ropogós malacsült követte
nyomban, hogy aztán helyet engedjen a kurcinás kapros
túrós metéltnek. S amikor a szakács iránt érdeklődött, aki
mindezen finomságokat készítette, a gróf elárulta, hogy egy
helybéli asszony főz a konyháján. A Bécsből hozott szaká-
csot elcsapta, mert mindig olyan ebédeket főzött, "...hogy

222

The Flavours of Upper Hungary

The flavours of northern Hungary, which we dealt with in the previous chapter, extend beyond the Hungarian frontier along the Danube and the Northern Mountain Ranges and flourish there just as they did in the old days when Felvidék, comprising much of modern Slovakia, was part of Hungary. This really means that Hungarian cooking and seasoning along with some typical dishes can be found everywhere in the region and have influenced Slovakian cooking; conversely, the Hungarian cooking of the region has adopted some Slovakian dishes. Substantiality, mentioned in connection with Palóc cooking, has always been a feature of the whole of Upper Hungarian cooking as well. Kálmán Mikszáth sets down and anecdote about a Count Keglevich, who when he was in Vienna in his younger days, heard someone praise the French ambassador's cook; whereupon he literally abducted the cook by promising to double his salary and carried him off to his estate in Upper Hungary. This caused somewhat of a scandal and, on the Emperor's order, Palatine Joseph sent a civil servant, a certain Barkóczi to the Keglevich estate, to bring the cook back, whatever the cost. Barkóczi was amazed to find that, instead of the French dishes he expected, first bouillon with noodles was served at Keglevich's table, then a dish of boiled beans with smoked pork ribs. Immediately after that came crispy roast piglet to be followed by a pasta with curd cheese and dill. When he asked about

az ember egy óra múltán már megint éhes volt" – mondta bosszúsan. – "Ez az asszony érti a főzést – tette hozzá – mondhatom kiadósak az ételei, szívem szerint valók!"

Nemcsak a "kiadósság" jellemzi azonban a felvidéki kosztot, hanem az árnyalatos, finom fűszerezés, az enyhén pikáns ízek is. Az illatos, ízes fűszernövényeket, amelyek kertekben, réteken, erdőszéleken megteremnek, szívesen használják a háziasszonyok itt is: a kapor sok fogás ízének meghatározója, de használják a zsályát is, amely májnak, zsíros húsoknak kedvelt ízesítője – különösen rozmaringgal társítva ad finom ízt az ételeknek. Ne feledkezzünk meg a majoránnáról sem, a magyar konyha e hagyományos ízesítőjéről, nemkülönben a turbolyáról, amelynek apróra vágott zöldje a báránylevesnek, báránysültnek ad ízt és illatot. Megkülönböztetett hely illeti meg a felvidéki konyhában a juhtúrót, amelyet nagy fabödönökben árulnak és brindzának neveznek. Azt a juhtúrós tésztát, amit magyarul is sztrapacskának neveznek, az étlapokon túrós haluska gyanánt találjuk – joggal megilleti a "kiadós" jelző, mivel nemcsak töpörtyűvel hintik meg, s tejfellel öntik nyakon bőven – hanem olyan változata is létezik, amelyhez krumplit hámoznak, a hámozott burgonyát lereszelik, felvert tojással, kevés sóval és annyi liszttel dolgozzák össze, amennyit csak felvesz. A masszát fakanállal összedolgozzák és vágódeszkáról lobogásban lévő vízbe szaggatják. Ezután leszűrik, cseréptálba rakják, zsírral megöntözik, a tetejébe juhtúrót, esetleg pirított káposztát tesznek, ha minden jól megy, még libatepertőt is. Így kerül asztalra, igencsak "kiadós" fogás gyanánt. Eredetileg alighanem szlovák fogás volt, de átvették a magyarok, a németek is. Az idők során aztán "lapcsánka" néven a felvidéki magyar konyhának népszerű fogása lett.

A főzési-sütési ötletek, étkezési szokások átvétele sem "egyirányú utca". A felvidéki szlovák konyha oly sok fogást, főzési eljárást vett át a magyartól, hogy olykor már megkü-

the cook who had prepared all these delicacies, the count told him that a local woman was in charge of his kitchen. It turned out that he had sacked the chef he had brought from Vienna because the dinners he presented were such that he was starving again an hour later, the count grumbled. "This woman knows how to cook", he added, "I daresay, her dishes are as substantial as my heart would want".

But the characteristic of the cooking in Upper Hungary is its spicing, full of delicate nuances, and the mildly piquant flavours as much as its trencherman quality. As elsewhere, housewives like using the fragrant herbs that grow wild in gardens, meadows, at the edge of forests; dill determines the flavour of many a dish and sage is also used as a seasoning for liver and fat meat. Sage provides a delicate flavouring especially when used together with rosemary. For rosemary, a traditional herb in Hungarian cooking, is commonly used, as is chervil, whose green leaves, when finely chopped, provide a perfect seasoning for lamb soup and roast lamb. Ewe curd cheese takes a distinguished place in kitchens in Upper Hungary. It is sold from wooden tubs and is called brindza. The dumplings made with ewe curd are referred to by their Slovakian name, sztrapacska, even in Hungary proper although menu cards often list them as túrós haluska (ewe curd dumplings). This dish can duly be called substantial for it is decorated with fried pork crackling and topped with plenty of sour cream; there is even a variant for which potatoes are peeled and grated, then mixed with a beaten egg and some salt, the whole having as much flour worked into it as it can take. The dough is worked with a wooden spoon and small pieces are broken off with a teaspoon into boiling water. When cooked, it is drained, put into an earthenware dish rubbed with lard, covered with ewe curd or perhaps sautéed cabbage, and, if everything goes well, some goose crackling on top. And this is how it is served as a truly substantial dish. Most probably it was originally Slovakian, but

lönböztetni is nehéz egymástól a két konyha fogásait. Persze csak "elvileg", mivelhogy bármennyire is megszokott fogás a pörkölt, gulyás és néhány más magyar módi étel a szlovák étrendben, a fűszerezése mégiscsak más. Azonkívül gyakorta knédlit adnak az étel mellé, galuska vagy hagymás tört krumpli helyett. Nem akarnánk ezzel egyébként a knédlit bántani: igen jó tud az lenni, ha jól van elkészítve. A felvidéki magyar konyha is él vele, világosra pirított zsemléből, habkönnyűre kelesztve kellemes kísérője egynémely jó fogásnak.

A felvidéki magyar konyha ízvilágára jellemző fogás a galántai csirkecomb – amely ugyanarról a környékről származik, mint a Kodály Zoltán által feldolgozott gyönyörű népi dallamok. A kapor illata, a friss túró jó íze mellett a zsírban pirított vöröshagyma, pirospaprika, tejfel adja finom ízhatásait. A pirított vöröshagymához finomra vágott kaprot, pirospaprikát, csontlevet adnak ugyanis – ebben párolják meg a csirkecombokat, majd a mártást tejfellel sűrítik. Kísérőnek túrógombócokat főznek, ezekben ízesítőnek ugyancsak kapor kerül.

Rákóczi Ferenc hajdani városából, Kassáról, a magyar konyha nem egy jeles fogása származik. Nem tudni, ki kreálta például a felvidéki csavart felsált – de a nevezetes esemény alighanem Kassán történt. Egyebek közt azért nevezetes ez a húsétel, mert elkészítésénél a boróka, a vörösbor és a fokhagyma ízeinek csodálatosan finom együttesét sikerült a kassai konyhaművésznek létrehoznia. Miközben az ember fogyasztja, a fenyvesek illatát, a szőlőhegyek kedves hangulatát érzi maga körül.

Pöstyén híres nemzetközi gyógyfürdőhellyé fejlődött a századforduló óta, amikor a magyar balneológusok felfedezték vizének gyógyhatásait. A sikerhez, ami ezután következett, Pöstyén remek konyhája is hozzájárult: olyan ételekkel, mint például a borjúcombból készülő pöstyéni szelet. Kifinomult ínyenceknek való: a besózott hússzeleteket mazsolás

226

Hungarians and Germans adopted it. After some time it also became one of the favourite dishes of kitchens in Upper Hungary under the name of lapcskánka.

Borrowing cooking techniques and customjs is never a one-way street. Slovakian cooking in Upper Hungary adopted so many cooking methods from the Hungarian that it is sometimes very difficult to differentiate between the two. Of course, the distinction is difficult to make only in principle, because however traditional stew and goulash and other Hungarian-style dishes have become in Slovakian cooking, the seasoning the Slovakian cooks employ is still different. Furthermore a typical Slovakian garnish, knédli, is served with them (instead of galuska, the form of gnocchi the Hungarian cook would use) or mashed potatoes with sautéed onions. This is not meant to belittle knédkli, which can be very good if well prepared. Indeed it has entered into the repertoire of Hungarian cooking in Upper Hungary (it is made of white bread crumbs fried to a golden brown colour, added to another light dough, cooked together then sliced) and is a pleasant garnish to some good dishes.

A typical dish which would best show the flavours of Hungarian cooking in Upper Hungary is chicken in the Galánta way, which originates from the same area as the marvellous folk melodies that Zoltán Kodály expanded on. Besides the fragrance of dill and the flavour of fresh ewe curd, sautéed onions, red paprika and sour cream play their part. To the sautéed onions, finely chopped dill and red paprika are added, then stock is added and the chicken legs are cooked in this sauce, which is finally thickened with sour cream. It is served with curd cheese dumplings (túrósgombóc) also seasoned with dill.

A number of dishes come from Kassa, the town associated with Ferenc Rákóczi. It is not known who created the rolled beef (felvidéki csavart felsál), but the notable event

227

palacsintatésztába mártják, s forró olajban kisütik, úgy kerülnek asztalra. Feljebb északon, Zólyomban is finom ízeket kínál a felvidéki konyha. A zólyomi pecsenye babbal, mustárral, uborkával kombinálja a füstölt húsokat, remek, jellegzetes felvidéki ízegyüttest kreálva ezáltal. Lőcséről kitűnő saláta származik: derelyetésztát kifőznek, zöldborsót, paradicsomot adnak hozzá, az egészet sóval, borssal-cukorral-citromlével ízesített salátalével leöntik, majd fokhagymával puhára párolt sertéshúskockákat adnak hozzá, s az egészet fél napig pihenni hagyják, míg jól összeérik. "Lőcsei tésztasalátának" hívják – s túlzás nélkül elmondható róla, hogy nemcsak kitűnő ízű – de a "kiadós" felvidéki fogások közé tartozik.

Ne feledkezzünk meg Pozsonyról sem, ahonnan számos finomság származik. Ünnepeink elmaradhatatlan kísérője, a "bejgli", eredetileg pozsonyi mákos és diós patkó néven került forgalomba, így származásilag Pozsonyból eredeztethető. A hajdanvolt időkben nem egyenes tekercseket sütöttek nagyanyáink, mint mostanában egyes pesti cukrászatok hanem a mákkal vagy dióval töltött tésztatekercset patkó alakban félkör ívbe hajlították a tepsiben. Hogy mi keletkezett előbb: a bejgli-e, vagy a pozsonyi kifli, amely ugyanúgy mákkal, dióval töltetik meg, mint amaz, ma már nem lehet eldönteni. Lehet azonban, hogy a kifli ötlete egy másik felvidéki városból, Losoncról származott eredetileg, mivel Losonc egy nevezetes kifli szülőhelye, a losonci kiflié. Igaz, hogy emebbe nem tesznek tölteléket, mint a pozsonyi kiflibe. Vajból, vaníliás cukorból, lisztből és tojás sárgájából készült tésztáját – amely a hozzáadott tojáshabtól könnyű, levegős – megszórják mandulával, majd kisütik, s pogácsaszaggatóval kis kifliket szúrnak ki belőle. Talán a losonci kifli népszerűsége ihlette meg valamelyik pozsonyi sütőasszonyt, hogy újfajta kiflivel lepje meg egy lakodalom vendégseregét.

A mákos guba a szlovák konyhából származik eredetileg.

must have taken palace in Kassa. This meat dish is notable because the ancient master cook of Kassa managed to combine the flavours of juniper, red wine and garlic into a fantastic harmony. Once you taste it, you can almost smell the pinewoods and sense the atmosphere of vineyards around.

The town of Pöstyén has grown into an internationally popular spa since the turn of the century, when Hungarian balneologists discovered the beneficial effects of its thermal water. The good cooking of Pöstény added to the popularity of the town with dishes like their veal fricandeau (pöstényi szelet) which is a dish to delight all palates. The salted veal slices are dipped in pancake batter mixed with raisins, then deep-fried. Further north, in the town of Zólyom, local cooking also offers delicious food. Their roast (zólyomi pecsenye) combines smoked meat with beans, mustard and cucumbers, creating a harmony of flavours typical of Upper Hungary. An excellent salad originates from Lőcse. Little pockets of stiff dough are cooked in boiling water, drained and green peas and tomatoes are added. This is covered in a marinade made of salt and pepper, sugar, lemon juice and water, finally diced pork is added which has been braised with garlic before. The whole mixture is left to mature for half a day. It is called Lőcse pasta salad (lőcsei tésztasaláta); it is not only excellent but is also one of Upper Hungary's substantial dishes.

Nor should we ignore the city of Pozsony (Bratislava), where several delicacies were created. Our traditional Christmas and Easter cake, called bájgli was first sold under the name Pozsony horseshoes with poppy seed or with walnut (pozsonyi mákos és diós patkó), indicating its origins in the city. In olden times our grandmothers did not bake long straight roulades, as some confectioners do in Pest today, but bent roulades filled with poppyseed or walnut into the shape of a horseshoe in the baking tin. It is impossible to tell today which came first, bájgli or the Pozsony

Hajdanában az volt a szokás, hogy a karácsony előtti kenyérsütéssel egy időben készítették a gubához való tésztát: lisztből, amit élesztővel, langyos tejjel és egy kevés cukorral megkelesztettek, majd pihentetés után hosszú nudlikat sodortak belőle. Ezeket késsel felszeletelték és a dió nagyságú darabokat a kemencében – vagy kizsírozott tepsiben, sütőben – jó szárazra megsütötték. Az ily módon készült tésztát nagyon sokáig el lehetett tartani. Étkezéskor annyit főztek ki belőle forró vízben, amennyit éppen elfogyasztani kívántak, majd mákkal, mézzel, túróval hintették meg – azzal, ami éppen volt a háznál. A mákos gubát azóta megkedvelték mások is: különösen a nagy étvágyú fiatalok éhségének csillapítására alkalmatos, mivel feldarabolt, tejbe áztatott pékkiflikből lehet összecsapni nagy hirtelen.

A "csík" – a hosszúmetéltből készülő főtt tészták népes családja – ugyancsak a felvidéki konyha laktató fogásai közé tartozik. A metélt tésztát – a "csík"-ot – forró sós vízben kifőzik, leszűrik, egy kis vajjal vagy zsírral "megkenik", vagyis a zsirádékban meghempergetik, s aztán meghintik túróval, esetleg káposztát tesznek rá. Legnépszerűbb formája a mákos csík, amikor is darált mákkal, porcukorral hintik meg jó bőségesen.

horseshoes (pozsonyi kifli), which are both filled with poppyseed or walnuts. It is, however, possible that the idea of the horseshoe-shaped cakes comes from Losonc, another town of Upper Hungary, since Losonc was the birthplace of yet another famous cake, the losonci kifli. True, unlike pozsonyi kifli, this does not have a filling. Its dough is made from butter, vanilla-sugar, flour and egg yolks to which the beaten egg whites are carefully folded in to make the dough light and airy. After it has been rolled out, chopped almonds are sprinkled on top, it is then baked and horseshoe shapes are cut out of it. Perhaps the popularity of losonci kifli inspired some pastry-cook in Pozsony to surprise the guests at a wedding with a new type of kifli.

Mákos guba, another sweet pastry with poppyseed, was originally a Slovakian dessert. In old days it was customary to make the dough for it at the same time as baking the breast before Christmas; it has a leavened dough made of flour, yeast, lukewarm milk and sugar. After setting the dough aside to rise, long rolls were made from it, which were cut up into walnut-sized bits and baked in a greased baking tin in the oven. This baked pastry kept for a very long time, and for a meal only a small amount was used at a time, cooked in boiling water and sprinkled with poppyseed, honey, or curd cheese, whichever was at hand. Mákos guba has become popular in other regions since then, especially among the voracious young, as their hunger can be appeased within minutes, using cut up horseshoe shaped breadrolls (kifli) and soaking them in milk.

Csik (strip), a family of long stripes of dry pasta, is another one of the substantial dishes that came from Upper Hungary. The strips of pasta are cooked in salted water, drained, then rolled into a little butter or fat, finally sprinkled with curd cheese or steamed cabbage. The most popular version the one which is generously sprinkled with ground poppyseed and sugar.

RECEPTEK

Felvidéki finom nyúlleves

Hozzávalók 8 személyre: *egy nyúl belsőségei (vese, szív, tüdő, máj), valamint fejhúsa, nyaka, 1 zeller, 1 répa, 1 gyökér, 1 karalábé, 1 vöröshagyma, 1/2 csésze rizs, petrezselyemzöldje, köménymag, só, 2 evőkanál zsiradék, 1 gerezd fokhagyma, néhány szem fekete bors, 1 evőkanál liszt.*

A nyúlhúst – a máj kivételével – egy fél fazék vízben feltesszük főni, időnként leszedjük a habját.

A zöldségeket felvágjuk kis kockákra és a hagyma kivételével a leveshez adjuk. Beletesszük a köménymagot, sózzuk. Lassú tűzön hagyjuk csendben forrdogálni.

Serpenyőben forrósítsunk meg zsiradékot, tegyük bele az apróra vágott vöröshagymát, s szétnyomkodott fokhagymát, a kis darabokra vágott nyúlmáját. Meghintjük törött borssal. Megpirítjuk, majd meghintjük liszttel, összekeverjük és néhány percig tovább hagyjuk pirulni. Ezután hozzáöntünk egy keveset a levesből, egy percig még hagyjuk főni, majd az egészet a leveshez adjuk. Hozzáadjuk a leveshez a rizst is, utánasózzuk és készre főzzük. Esetleg egy kevés citromlével lehet a leves ízesíteni, ha a savanykás ízt kedveljük.

Lőcsei marhagombócleves

Hozzávalók 8 személyre: *a marhagombócok készítéséhez 250 g marhahús, 2 nagy burgonya, 1 tojás, 1 evőkanál liszt, 1 evőkanál gríz, só és törött bors. A leveshez: 2 tojás sárgája, 1/2 liter marhahúsleves, 1 evőkanál citromlé, petrezselyemzöldje, só.*

Felvidék, Gömöri táj
Upper Hungary,
Gömöri hillside

234 oldal
p. 235

Felvidéki csavart
felsál

Felvidék rolled beef

236 oldal
p. 237

Lapcsánka
Potato dumplings

236 oldal
p. 237

Galántai csirkecomb
Chicken Galánta style

RECIPES

Felvidék hare soup

Serves 8: *lights of one rabbit (kidneys, heart, lungs, liver), cleaned head and neck of one rabbit, washed, 1 celeriac, diced, 1 carrot, diced, 1 parsnip, diced, 1 kohlrabi, diced, 1 Spanish onion, chopped finely, 1/2 cup rice, handful of parsley, pinch of caraway seeds, salt, 2 tablespoons lard, 1 clove garlic, crushed, ground black pepper, 1 tablespoon flour, lemon juice (optional)*

Put all parts of the rabbit, except for the liver, into 1 1/2 litres (about 3 pints) of water to cook, skimming it from time to time. Add the vegetables, except the onion, the caraway seeds and salt to taste. Bring back to the simmer and let it cook slowly together. Cut the liver into small pieces. Heat the lard in a frying pan, add the onion, garlic and the liver. Flavour with black pepper and sautée until the onion is transparent. Sprinkle with flour and sautée for some more minutes. Mix in a little soup, stir well and cook together for a minute, then add the whole to the soup. Add the rice, correct for salt and cook until the rice is tender. You can flavour the soup with a little lemon juice to taste when serving.

Lőcse beef dumpling soup

For the dumplings: *250 gm/9 oz minced beef, 2 large potatoes, peeled and grated, 1 egg, 1 tablespoon flour, 1 tablespoon semolina, salt, ground black pepper, for the soup:, 2 egg yolks, 1/2 litre/3/4 pint beef stock, 1 tablespoon lemon juice, handful of parsley, finely chopped salt* '

Először elkészítjük a gombócokat: a krumplit megreszeljük, a húst megdaráljuk, összedolgozzuk a tojással, liszttel, búzadarával, sót és törött borsot adunk hozzá, majd vizes kézzel dió nagyságú gombócokat készítünk belőle.

Sós vizet forralunk, a gombócokat beledobjuk és kb 25 percig főni hagyjuk. Kiszedjük, mikor átfőttek, levesestálba rakjuk.

A vizet forrni hagyjuk, s a habosra kevert tojássárgákat belehabarjuk. Hozzáadjuk a húslevest, citromlevet, a finomra vágott petrezselyemzöldjét is. Néhány percig főni hagyjuk, majd a levest ráöntjük a tálban lévő gombócokra.

Felvidéki csavart felsál

Hozzávalók: *800 g marhafelsál, 250 g darált marhahús, 200 g tejfel, 100 g füstölt szalonna, 1 fej vöröshagyma, 1 gerezd fokhagyma, petrezselyemzöldje, só, bors, 3 szem borókabogyó, 100 g olaj, 100 g vörösbor.*

A felsálszeleteket vékonyra kiverjük, megsózzuk, borsozzuk. A darált húshoz adunk 4-5 kanál tejfelt, sót, borsot, apróra vágott petrezselyemzöldjét. Alaposan összedolgozzuk és egyenletesen rákenjük a hússzeletekre. A szalonnát hajszál vékonyra szeleteljük és a szeleteket a hússzeletekre fektetjük. Ezután a szeleteket feltekerjük, tűvel megtűzzük. Forró olajban hirtelen mindkét oldalukon megsütjük, majd félretesszük. A maradék olajban megpirítjuk az apróra vágott vöröshagymát, hozzátesszük a szétnyomkodott fokhagymát, a borókabogyókat, felöntjük a vörösborral, beletesszük a hústekercseket és fedő alatt addig pároljuk, amíg a hús teljesen megpuhul. Ekkor a levébe 1 csésze tejfelt keverünk, 1 mokkáskanál mustárral megízesítjük, még egyszer felforraljuk és rögtön tálaljuk.

First prepare the dumplings, mixing the meat, potatoes, eggs, flour and semolina and flavouring this mixture with salt and pepper. Form walnut-sized dumplings with wet hands. Put these dumplings into salted boiling water and cook them for 25 minutes. When cooked, drain them, keeping the liquid and place them into a soup tureen. Let the liquid simmer slowly. Beat the egg yolks and add them to the liquid, adding the stock, lemon juice, the parsley. Cook together for some more minutes then ladle the soup onto the dumplings in the tureen.

Felvidék rolled beef

800 gm/1 3/4 lb round of beef, sliced, 250 gm/9 oz minced beef, 200 gm/7 oz sour cream, 100 gm/4 oz smoked bacon, sliced very thin, 1 Spanish onion, chopped finely, 1 clove garlic, crushed, handful of parsley, chopped finely, salt, ground black pepper, 3 junipers, 100 gm/4 oz oil, 100 gm/4 oz red wine, 1 tea-spoon mustard

Beat the meat, flavour with salt and pepper. Mix the minced meat with 4-5 tablespoons of sour cream, salt, pepper and parsley. Work together and spread evenly on the beef slices. Cover each slice with a slice of smoked bacon. Roll up the slices and skewer. Heat the oil in a frying pan, and fry the meat quickly on both sides. Take them out of the oil, and sautée the onion in the rest of the oil, add the garlic, the junipers and the red wine. Put the meat back into this sauce and simmer under cover until tender. Mix the sour cream into the sauce, flavour with mustard and bring back to the boil before serving.

Lapcsánka

Hozzávalók: *600 g burgonya, 200 g liszt, só, bors, 200 g olaj.*

A burgonyát meghámozzuk, majd nagy lyukú reszelőn lereszeljük. Annyi liszttel hintjük meg, amennyivel galuska sűrűségű lesz. Megsózzuk, megborsozzuk és olajba mártott evőkanállal a forró olajba szaggatjuk. Újjnyi vastagra ellapítjuk, szép pirosra kisütjük.

Sztrapacska

Hozzávalók: *500 g burgonya, 1 tojás 1 evőkanál liszt, 100 g vaj, 250 g juhtúró, 150 g füstölt szalonna, só.*

A burgonyát meghámozzuk és nyersen megreszeljük. Összedolgozzuk a tojással, sóval és annyi liszttel, hogy galuska sűrűségű tésztát kapjunk. A vajat felolvasztjuk, egy tűzálló tálba öntünk belőle. A burgonyás tésztából forró sós vízbe galuskákat szaggatunk, mikor kifőttek, a tűzálló tálba rakjuk, rétegenként megöntözzük vajjal, meghintjük túróval. Túróréteggel bevonjuk a tetejét, majd a kiolvasztott szalonna zsírjával meglocsoljuk, a tetejére hintjük a ropogós tepertőket és az egészet néhány percre a sütőbe tesszük.

Galántai csirkecomb

Hozzávalók: *4 nagy csirkecomb, 1 csokor kapor, 200 g tejfel, 2 evőkanál liszt, 1 evőkanál zsiradék, 1 fej vöröshagyma, pirospaprika, só, a gombóchoz: 500 g túró, 2 tojás, 100 g búzadara, só, 1 csokor kapor.*

236

Potato dumplings

600 gm/1 1/3 lb potatoes, peeled and grated, 200 gm/7 oz flour, salt, ground black pepper, 200 gm/7 oz oil

Mix the potatoes with flour to make a light dough. Flavour with salt and pepper, then cut off pieces from it with a tablespoon dipped into oil and put the dumpling into hot oil to fry. While frying, flatten them with the spoon to finger-thickness and fry both sides until golden brown.

Ewe curd dumplings

500 gm/1 lb 2 oz potatoes, peeled and grated, 1 egg, 2 tablespoons flour, 100 gm/4 oz butter, 250 gm/9 oz ewe curd, 150 gm/5 oz smoked bacon, diced, salt

Work the potatoes together with the egg and flour to make a light dough. Melt the butter and rub an oven-proof dish with it. Spoon the dough into salted boiling water, cook the dumplings and when they pop up to the surface drain them and put them into the buttered dish in layers, brushing them with butter and sprinkling ewe curd between each layer. Put a layer of curd on top. Fry the bacon dice until the fat runs and the bacon turns into crackling. Sprinkle the fat on top of the dumplings and top them with the crackling. Put the dish into a warm oven for some minutes before serving.

Chicken Galánta style

4 large chicken legs, handful of fresh dill, chopped finely, 200 gm/1 cup 7 oz sour cream, 2 tablespoon lard, 1 Spanish onion, chopped finely, salt, paprika, for the

Zsírban megpirítjuk az apróra vágott vöröshagymát, beletesszük az egyik csokor apróra vágott kaprot, késhegynyi pirospaprikát, sót. Vízzel vagy csontlével feleresztjük, a csirkecombokat belehelyezzük és megpároljuk. Ha a hús megpuhult, kivesszük a lábosból és a mártást tejfellel, kis liszttel behabarjuk, ha kell utánaízesítjük.

Közben felteszünk vizet főni a gombócok számára, s elkészítjük a gombócokat is: a fél kiló áttört túróba két egész tojást, pici sót és a másik csokor kaprot finomra vágva belekeverjük, hozzáadjuk a búzadarát is és összedolgozzuk, hogy daragaluska sűrűségű tésztát kapjunk. Vizes kézzel gombócokat készítünk, a forró vízbe tesszük és miután a víz felszínére jönnek, még további 20-30 percig főzzük.

Tálaláskor a gombócok mellé tesszük a csirkecombokat, majd a a húsra ráöntjük a mártást. A maradék tejfellel meglocsoljuk a gombócokat.

Felvidéki vargabéles

Hozzávalók: *a tésztához 600 g liszt, 60 g élesztő, 100 g cukor, 400 g tej, 100 g vaj, 3 tojássárga, reszelt citromhéj, 3 cl rum. A töltelékhez: 400 g tej, 200 g rizs, 30 g vaj, 3 tojás, 120 g cukor, 1/2 citrom reszelt héja, 100 g mazsola, vaníliás cukor.*

Az élesztőt 1/2 csésze langyos tejben szétmorzsoljuk, kevés cukrot teszünk hozzá. A szitált langyos lisztből 40 g-ot az élesztőhöz keverünk és megkelesztjük. Ezután a kupaccá formált lisztbe öntjük a megkelt élesztőt, hozzáadjuk a 3 tojássárgát, a cukrot, sót, citromhéjat, rumot és annyi langyos tejet, hogy közepes keménységű tésztát kapjunk belőle. A tésztát addig dagasztjuk, amíg hólyagos nem lesz. Ekkor belegyúrjuk a felolvasztott vajat és letakarva pihenni tesszük.

dumplings:, 500 gm/1 lb 2 oz curd cheese, 2 eggs, 10 gm/4 oz semolina, salt, handful of fresh dill, chopped

Sautée the onion in the lard, add the dill and a pinch of paprika. Salt to taste. Dilute with water or stock, add the chicken legs and simmer until tender. Remove the chicken legs from the sauce and thicken the sauce with half of the sour cream mixed with flour. Bring the sauce back to the simmer and correct for flavouring. Put some water into a large pot and bring it to the boil to cook the dumpling in. Meanwhile prepare the dumplings. Put the curd through a sieve and mix in the eggs, a little salt, the dill and the semolina. Work together into a dough. Form balls from the dough with wet hands and drop them into the boiling water. Cook for 20-30 minutes after they come up to the surface. When serving, put the dumplings next to the chicken legs and pour the sauce over the meat. Put the rest of the sour cream over the dumplings.

Vargabéles cake

for the dough: 600 gm/1 1/3 lb flour, 60 gm/2 1/2 oz yeast, 100 gm/4 oz sugar, 400 gm/14 oz milk, 100 gm/4 oz butter, 3 egg yolks, grated peel of a lemon, tablespoon of rum, pinch of salt, for the filling:, 400 gm/14 oz milk, 200 gm/7 oz rice, 30 gm/1 oz butter, 3 eggs, 120 gm/4 1/2 oz sugar, 100 gm/4 oz raisins, tablespoon of vanilla sugar

Crumble the yeast into 1/2 cup of luke-warm milk and add a little sugar. Sieve 40 gm (1 1/2 oz flour) into the yeast and set it aside to rise. Sieve the rest of the flour into a bowl, make a hole in the middle and when the yeast mixture has risen pour it into this hole, adding the yolks,

Ezután elkészítjük a tölteléket. A megmosott rizst 2 csé-sze vízben feltesszük főni. Csipet sót, vaníliás cukrot teszünk hozzá és amikor a víz félig elfőtt, a tejjel pótoljuk, lefedjük és főzzük, amíg a rizs megpuhul.

Közben a vajat habosra keverjük a cukorral, tojássárgákkal. A kihűlt rizst ezzel és a tojások keményre felvert habjával összekeverjük.

A megkelt tésztát erősen lisztezett deszkán ujjnyi vastagra kinyújtjuk, a rizses tölteléket szétterítjük rajta, aztán óvatosan felsodorjuk a tésztát és kizsírozott tepsibe fektetjük. Előre jól bemelegített sütőben, közepes lángon kb 1/2 óráig sütjük, amíg a teteje szépen meg nem pirul.

sugar, salt, lemon peel, rum and enough water to make it into a medium stiff dough. Knead together until blisters start forming on the surface. Then add the melted butter, cover and set aside.

For the filling wash the rice and cook it in two cups of water with a pinch of salt and the vanilla sugar. When half of the water has evaporated, add milk to make up for the quantity of liquid, cover and cook until tender. Remove from heat and let it cool. Meanwhile beat the butter with the sugar and the yolks of the eggs. Beat the whites, fold in with the butter mixture and the cooled rice.

Flour a board and turn the leavened dough onto it. Roll it out to finger thickness, spread the filling evenly all over it, then carefully make it into a roulade. Rub a baking tin with butter and place the roulade into it. Put it into a preheated oven and bake in a moderate heat for about 30 minutes until the top becomes golden brown.

Tárgymutató

Index of Recipes

247

Tartalom/Contents